D0527850

À paraître dans la même série:
«Plantes sauvages des villes et des champs»

plantes
sauvages
printanières

Collaborateurs occasionnels
Yves Boudreault
Roger Larose
Yves Mailhot
Rafael Marin
Diane Turcotte

Conseillers scientifiques
Ernest Rouleau
Camille Rousseau

Toutes les photographies reproduites dans cet ouvrage ont été
tirées de diapositives, format 35 mm. Les appareils utilisés étaient
à visée reflex.

plantes
sauvages
printanières

rédigé par
Claude Allard
Lucette Durand
Gilles Houle
Gisèle Lamoureux
Louise Venne

illustré par
Janouk Gauthier
Maurice Lalonde
Gisèle Lamoureux
Maxime Saint-Amour

sous la direction de Gisèle Lamoureux

La Documentation québécoise
Éditeur officiel du Québec

Cet ouvrage est publié dans la collection Connaissance du Québec, série Sciences naturelles.

Collection dirigée par
Claude Paulette

Conseillers en rédaction
Eugénie Lévesque
Jacques Archambault

Graphisme
Jadette Laliberté

Coordonnateur
Dominique Barry

3e tirage

Dépôt légal — 4e trimestre 1975
Bibliothèque nationale du Québec
ISBN: 0-7754-2352-1

Bibliothèque nationale du Québec
Éléments de catalogage avant publication

Plantes sauvages printanières / rédigé par Claude Allard . . . [et al.]; illustré par Janouk Gauthier . . . [et al.]; sous la direction de Gisèle Lamoureux. — 1ère éd. — [Québec]: La Documentation québécoise, Éditeur officiel du Québec, (Connaissance du Québec: série Sciences naturelles)

Bibliographie.
Comprend des index.

1. Botanique — Québec (Province). I. Lamoureux, Gisèle, 1942 — éd. II. Québec (Province) Ministère des communications. La Documentation québécoise. (Collection)
C6D6S32/1

Depuis quelques années, on porte un intérêt de plus en plus grand aux diverses disciplines permettant de mieux comprendre les lois de l'écologie appliquées au milieu québécois. Cette compréhension implique une meilleure connaissance de la flore québécoise, composante fondamentale de l'environnement. Une telle connnaissance suppose un apprentissage que l'absence ou l'imperfection des instruments rend long et laborieux.

On trouvera chez les libraires quelques volumes qui peuvent aider. Mais il suffit de parcourir les ouvrages offerts au grand public pour se rendre compte qu'on a bien peu à offrir aux personnes avides de mieux connaître les plantes de notre milieu et qui en sont à leurs débuts. Les livres ou brochures disponibles présentent de nombreuses faiblesses. La plupart des écrits en langue française proviennent d'Europe; ils ne couvrent qu'une partie infime de notre flore et concernent uniquement les plantes introduites chez-nous. D'autre part, les guides qui nous viennent des États-Unis sont en langue anglaise; ils couvrent un territoire beaucoup trop vaste et la partie concernant la flore québécoise n'en représente souvent qu'un minime pourcentage.

Le présent volume comblera une lacune importante. On y trouvera, dans un style simple et facilement compréhensible, la description de plusieurs de nos plantes printanières. De nombreuses notes encyclopédiques complètent les données techniques d'une façon agréable et facilitent le contact avec la science très précise qu'est la botanique.

Ce guide et ceux qui suivront permettront aux non-initiés de mieux apprécier les randonnées en forêt ou au bord de la mer et même les pique-niques au terrain de jeux. En ce siècle de loisirs croissants et de sensibilisation à la qualité de l'environnement, la population a des goûts et des désirs nouveaux. La présente série de publications vient à point nommé : elle pourra grandement aider le citoyen désirant mieux connaître son milieu afin de participer davantage à sa conservation et à son aménagement.

Ernest Rouleau
directeur de l'Herbier Marie-Victorin
de l'Université de Montréal

présentation

Pour nous, présenter ce volume à nos lecteurs signifie, d'une part, retourner à sa toute première origine et, d'autre part, montrer à grands traits, il va sans dire, comment il a vu le jour.

Le point de départ du projet remonte à trois ans passés et il est dû à l'initiative du coordinateur qui en a d'abord eu l'idée. Pendant une année au moins, le projet n'a fait l'objet que de causeries isolées avec des amis dispersés à travers le Québec. Afin de le discuter en profondeur, se réunissaient ensuite à Duberger, botanistes amateurs ou professionnels et photographes animés du feu sacré. Un échange d'idées des plus animés et des plus sérieux a abouti à l'élaboration d'un premier projet de publication d'une série de volumes sur la flore du Québec dont le premier porterait sur les plantes printanières.

Peu à peu le projet a acquis une plus grande consistance, au rythme même de l'enthousiasme progressif de chacun des membres de l'équipe qui existe toujours et qui s'est même accrue. Nous étions cependant loin de soupçonner toute la somme d'énergie, de temps et même d'argent que la rédaction d'un seul manuscrit exigerait. Nous avions également sous-estimé à quel point ce «rejeton» dont nous rêvions et qui, petit à petit prenait pied dans la réalité, deviendrait une source d'enrichissement précieuse tant pour le groupe que pour chacun de ses membres. On a perfectionné sa spécialité et mieux exploré le domaine de ses intérêts : taxonomie, écologie, folklore, cuisine. Le travail de ces deux années nous a valu d'intéressantes découvertes personnelles dans la biologie et l'histoire des plantes printanières du Québec, voire même de l'Amérique du Nord et de l'Europe. De plus, maints contacts avec les gens qui ont bien voulu partager leur science avec l'équipe ont permis à celle-ci de dépister des noms de plantes, des recettes personnelles ou régionales et des sources d'information qui nous avaient échappé.

Il est à souhaiter que ce livre soit pour les Québécois, à qui nous le dédions, une source d'information et de formation des plus utiles. Ainsi, les investissements tant en ressources humaines que financières dont la Direction générale de l'édition du gouvernement du Québec nous a gratifiés, pourront trouver une justification. Cette aide nous a permis de concentrer nos énergies à la préparation du manuscrit; nous appréciions grandement cette collaboration et nous remercions tous ceux qui en ont assumé quelque part. Nos remerciements s'adressent aussi aux personnes et aux organismes qui de quelque façon ont facilité notre travail, en particulier madame Estelle Lacoursière, l'Université du Québec à Trois-Rivières, l'université Laval et le collège Macdonald de l'université McGill.

Signalons en terminant que le Québec compte beaucoup plus que 75 espèces de plantes sauvages printanières. Nous avons choisi de vous présenter celles qui nous paraissaient les plus fréquentes et les plus abondantes des régions les plus habitées du Québec et des habitats les plus facilement accessibles à cette période de l'année. Par exemple, nous prévoyons traiter des plantes des marécages, y compris les espèces printanières, dans un volume subséquent traitant de cet habitat.

table des matières

introduction

En dépit de leur brièveté, les textes qui accompagnent les photographies contiennent une foule de renseignements passionnants. Ils ont été conçus pour des gens qui débutent dans l'étude des plantes, qui n'y connaissent encore que peu de choses; le vocabulaire utilisé est donc volontairement simple, nullement technique. Ces textes comportent deux types d'informations: des informations techniques et des informations folkloriques et pratiques. Voici comment vous y retrouver.

L'aspect scientifique

traite d'abord des noms de la plante...
Chaque plante porte généralement plusieurs noms suivant la langue, bien sûr, mais aussi suivant les régions. Nous avons essayé de vous en présenter la liste la plus complète possible, en *français* et en *anglais*[1], afin de vous permettre d'établir une correspondance avec les régionalismes et les ouvrages déjà parus sur le sujet tant en Amérique qu'en Europe.

En titre vous trouverez le nom français le plus utilisé mais aussi le plus simple: ainsi, on ne connaît au Québec qu'une espèce de sanguinaire et seul ce nom (le nom de genre) figure en titre. Dans certains cas, celui des senelliers par exemple, il est très difficile d'identifier les nombreuses espèces qui poussent au Québec, aussi ne trouverez-vous qu'un seul texte portant sur le genre en général.

Vous serez sans doute surpris de lire des noms de pays ou de personnes sans majuscule. Partie du nom de la plante, ils sont employés comme qualificatifs ou comme nom d'un genre de plantes; ils ne se rapportent aujourd'hui que très indirectement au nom propre qu'ils désignaient à l'origine.

Les plantes ne connaissent pas de frontières politiques ou linguistiques et les botanistes de tous les pays doivent

1. Le premier nom anglais mentionné est le plus utilisé.

13

s'entendre pour leur donner partout une désignation identique. Traditionnellement ils utilisent le latin, la langue des savants et du clergé au moyen-âge. En général il n'existe qu'un nom latin pour chaque plante. Puisque la *Flore laurentienne* de Marie-Victorin est déjà fort utilisée au Québec pour l'identification des plantes, nous avons adopté les noms latins qu'il propose (dans la 2è édition, revue par monsieur E. Rouleau), à l'exception de deux cas revus par monsieur E. Rouleau. Vous aurez donc, en plus des désignations française et anglaise, le *nom latin* ... qu'il est souhaitable de connaître, non seulement parce que «cela se place bien dans la conversation» mais aussi parce que cela évite les risques de confusion à la lecture d'ouvrages en langues étrangères. Le mot latin se compose de trois parties: le nom de genre (ex.: *Trillium*), le nom d'espèce (ex.: *undulatum*) et le nom du botaniste qui le premier a décrit l'espèce (ex.: *Willdenow*). Il est plus facile de mémoriser ce nom latin si on en connaît la signification, si on comprend pourquoi l'appellation a été donnée. Évidemment il n'est pas possible de faire état de toutes les théories sur l'origine du nom, mais dans tous les cas, nous en fournissons au moins une explication satisfaisante, qui figure à la suite du signe <. Ce symbole conventionnel, utilisé dans les traités d'évolution d'une langue, signifie: «venant de».

Chaque espèce est rattachée à une «famille» où sont rassemblées les plantes qui se ressemblent le plus. La famille est nommée d'après un genre qui lui est rattaché; ex.: *Ericaceae,* de *Erica,* nom latin de la bruyère. En général, les noms français des familles n'ont consisté qu'en une traduction des noms latins (ex.: *éricacées*), ce qui n'éclaircit rien du tout. Les Anglais, en revanche, utilisent un nom plus simple, plus évocateur où le nom de genre est directement mentionné; (ex.: *blueberry family* pour les éricacées). Pour vous faciliter la tâche, nous avons adapté au Québec la manière anglaise: c'est le nom du genre le plus connu ou le plus fréquent ici que nous avons choisi pour désigner la famille; ex.: famille du bleuet, famille du groseillier etc.

de la description de l'espèce ou du genre...
Même la meilleure photographie ne peut montrer tous les aspects d'une plante, tous les détails qui permettent de l'identifier. C'est pourquoi nous avons tenu à compléter l'illustration à l'aide d'une brève description. On sait bien que les botanistes possèdent un vocabulaire très précis pour désigner telle partie de la plante et même telle variation de cette partie. On sait aussi que ce vocabulaire ne s'entend bien et ne s'utilise proprement que si

l'on y consacre plusieurs années d'étude. N'ayez crainte, nous avons écarté ce vocabulaire, si intéressant et précis soit-il, pour utiliser plutôt des mots simples, à la portée de tous. Dès lors, il se peut que ce souci de clarté ait allongé le texte qui sacrifie un peu à la concision. Les botanistes chevronnés nous le pardonneront certainement.

Vous l'avez déjà remarqué, les pommiers fleurissent avant les marguerites... le titre même du présent ouvrage laisse supposer que certaines plantes fleurissent au printemps et d'autres pas. Dans les limites mêmes de cette saison, on peut faire des subdivisions: les trilles blancs éclosent avant les trilles ondulés qui eux-mêmes fleurissent avant les clintonies. Mais avez-vous observé qu'une plante ne fleurit pas partout à la même date? Par exemple, le lilas fleurira à la fin de mai ou au début de juin à Montréal et au début de juillet à Gaspé! D'ailleurs, ne dit-on pas couramment que la saison est en retard de 2, 3 ou 4 semaines en Gaspésie par rapport à Montréal? Il devient donc difficile de déterminer avec exactitude la date de floraison des plantes au Québec, puisque les époques varient selon la région. C'est donc à l'intérieur de limites floues que nous avons regroupé les espèces, ne donnant qu'une idée de leur ordre «d'entrée en scène». Nous avons donc fait précéder la description de chaque espèce d'un symbole constitué d'une fleur stylisée dont les pétales soit blancs, soit partiellement ou entièrement noircis signalent l'époque de la floraison: ✿ pour le début du printemps, ✿ pour la mi-saison et ✿ pour la fin.

de son habitat...

Quel est son milieu physique? Préfère-t-elle les lieux secs, ensoleillés? Quel est son milieu biologique? Pousse-t-elle en compagnie des érables ou des sapins? C'est à ces questions que tente de répondre le texte qui suit le symbole ⌐, flèche indiquant l'habitat de la plante. Même si l'on étudie ces questions depuis plusieurs années, le sujet est tellement vaste et les spécialistes si peu nombreux qu'il faut pour le moment se contenter, dans plusieurs cas, de réponses assez vagues.

Ce n'est un secret pour personne que certaines plantes sont capricieuses, que certaines autres ne se tolèrent pas entre elles, qu'elles ont des exigences, des préférences et même des «amitiés particulières». Par exemple, le frêne noir se plaît particulièrement dans les endroits humides, surtout sur les rives de cours d'eau qui sortent de leur lit au printemps. L'orme d'amérique et la fougère de l'autruche ont les mêmes goûts. On les retrouve donc souvent ensemble, étroitement associés dans un groupement appelé la frênaie à orme. Pour les phytosociologues[1], c'est-à-dire les botanistes-écologistes qui étudient plus spécialement les différentes associations de plantes, chaque plante est associée à un groupe d'autres plantes. Chacun de ces groupes porte un nom, formé, par convention, à partir des deux ou trois noms des plantes dominantes. Ainsi, dans l'érablière à bouleau jaune, l'érable à sucre et le bouleau jaune sont particulièrement abondants.

C'est surtout à la faculté de foresterie de l'université Laval qu'on a étudié les groupements végétaux du Québec; les quelques notes de phytosociologie qui vont suivre s'appuient sur ces travaux. Si le sujet vous intéresse, tournez quelques pages, pour prendre connaissance d'une petite description de la végétation du Québec.

de sa distribution au Québec . . .
Mais non . . . il ne faut pas s'attendre à trouver de l'ail des bois dans l'Ungava. Toujours pour la même raison (les exigences écologiques), les espèces de plantes ne sont pas distribuées uniformément sur le territoire et bien souvent on ne connaît que fort imprécisément cette distribution. Il faudrait une armée de botanistes amateurs explorant continuellement tous les recoins du pays pour savoir les aires de distribution de chaque espèce. Car les plantes voyagent; elles étendent ou restreignent leur territoire, si bien que cette étude ne pourra jamais être achevée.

Ce n'est pas en s'appuyant sur des on-dit, mais sur la foi de spécimens récoltés, séchés et conservés dans les grands herbiers qu'on peut affirmer que telle espèce existe à tel endroit. Ce n'est qu'au fur et à mesure que les grands herbiers disposeront d'un nombre accru de spécimens provenant de régions encore peu ou pas étudiées que nous aurons une connaissance exacte de la distribution de chaque espèce. Aussi nous vous suggérons de soumettre vos récoltes aux grands herbiers, surtout celles présentant des spécimens qui semblent sortir des limites des aires de distribution connues. Vous pouvez vous adresser aux herbiers de l'université Laval ou de Montréal, à l'herbier du Québec (ministère de l'Agriculture), etc.

Déjà, grâce au travail patient d'un botaniste, le Québec dispose d'une série de «cartes de distribution» dressées à partir des herbiers et faisant le point des connaissances sur le sujet. C'est essentiellement le résultat des travaux de Rousseau (1968

1. De *phyto:* plante et sociologie: étude des sociétés, des associations.

et 1974) qui vous est livré sous le symbole ⚜, indiquant la distribution au Québec de la plante étudiée. Si dans certains cas ce paragraphe est absent, c'est que Rousseau ne donne pas la carte de distribution et qu'il eût été trop long de l'établir.

Dans les textes, le terme «basses terres du Saint-Laurent» revient souvent et peut prêter à confusion. En plus de la plaine du Saint-Laurent jusqu'au cap Tourmente (englobant une partie de l'Estrie et de la Beauce), cette région comprend la vallée de l'Outaouais, jusqu'aux pieds des Laurentides, et les basses terres du lac Saint-Jean. C'est, en fait, la région que Marie-Victorin appelle «basses terres Champlain» dans la *Flore laurentienne*. Si nous avons préféré l'appellation «basses terres du Saint-Laurent», c'est qu'elle offre l'avantage de situer immédiatement le lecteur dans un contexte connu: la plaine du Saint-Laurent.

et des espèces qui lui ressemblent.
Nous sommes d'accord: certaines espèces de plantes sont parfois bien ressemblantes et difficiles à différencier... surtout lorsque les fleurs ont disparu et qu'il ne reste que les feuilles. Aussi étonnant que cela puisse paraître, il est quand même possible de les identifier, en considérant l'allure générale et les dimensions de la plante, la forme ou la couleur de la feuille et même l'habitat.

Sous le symbole mathématique ≠ signifiant «différent de...», vous trouverez des trucs permettant de distinguer l'espèce dont il est question, de ses proches voisines, des plantes qui lui ressemblent le plus.

L'aspect folklorique et pratique

traite du rôle des plantes dans les traditions populaires...
Qu'est-ce que la «doctrine des signatures»? Saviez-vous que le sabot de la vierge entrait dans la composition d'un philtre d'amour? Connaissez-vous la légende du bel Adonis changé en anémone par la déesse de l'amour? Tous ces sujets et bien d'autres sont traités au paragraphe du folklore: l'origine des noms français, l'histoire de la plante à travers les âges et dans la vie culturelle de certains peuples (en particulier les Amérindiens), la biologie de l'espèce, l'utilisation de la plante tant en alimentation et en gastronomie que dans les arts populaires et dans l'industrie.

Il va sans dire que certaines plantes connues depuis l'antiquité présentent un très vif intérêt. En revanche, plusieurs de nos plantes nord-américaines sont très peu connues et il semble, dans la courte histoire de notre continent, qu'on les ait complètement oubliées.

Tout porte à croire que la connaissance et l'utilisation des plantes sauvages se sont perdues chez nous. Quelques vieux sauront encore vous dire à quoi sert l'herbe à dindes. Il n'en reste pas moins que le plus souvent, ce sont des livres d'ailleurs, traitant de toutes façons de plantes d'ailleurs, qui nous en livrent à nouveau le secret. Un renouveau semble cependant se dessiner: on retourne à la nature et c'est dans cette optique que nous avons donné quelques indications sur l'utilisation culinaire et médicale.

de leur utilisation culinaire...

L'être humain a la mémoire courte: donnez-lui tout ce dont il a besoin pour se nourrir au magasin du coin et ses enfants ne connaîtront pas la saveur des fraises sauvages. L'homme ne consomme que 200 à 300 variétés de végétaux. L'alimentation de base de certains peuples n'en comporte souvent que 2 ou 3, bien qu'il existe environ 3,000 variétés comestibles, certaines à très haute valeur nutritive. Ainsi, l'homme consomme toujours les mêmes fruits, les mêmes légumes. Et qu'est-ce qui ressemble le plus à un concombre qu'un autre concombre? Bien que de provenances différentes, leur saveur, leur couleur et même leur taille sont à peu près uniformes lorsque vous les achetez au supermarché. Notre organisme est habitué à cette uniformité, tellement que si nous modifions brusquement nos habitudes alimentaires, nous ressentons un choc, d'une part dans notre tube digestif qui s'oppose à des changements radicaux et d'autre part, au palais qui réagit à ces goûts étranges. Donc aux débutants, un premier conseil: commencer en douceur, ne pas faire d'excès et habituer son organisme aux goûts et aux effets des plantes sauvages. Certaines personnes tolèrent très bien certaines plantes, tandis que d'autres en ressentent des malaises.

Avant même de songer à récolter une plante pour la manger il faut être absolument certain de l'avoir bien identifiée. Ne la récolter que si elle est en bon état... éviter les endroits pollués, car il est bien possible qu'elle soit atteinte «du mal du siècle»; mieux vaut prévenir. Les spécimens bien lavés seront consommés le plus tôt possible après la récolte afin de leur conserver le maximum de saveur et de valeur alimentaire. Suivre la recette donnée à la suite du symbole ✕ et ne pas trop cuire... rassurez-vous, nous avons expérimenté la plupart des recettes suggérées.

et de leur utilisation médicale.

Certaines espèces sont devenues des exemples classiques des valeurs médicinales des plantes: production d'antibiotiques par les champignons; utilisation de l'extrait de fraises contre la diarrhée et de l'huile de ricin comme laxatif; extraction de produits somnifères du pavot . . . et qui ne connaît pas les effets de l'artichaut sur le foie ou les bienfaits de l'ail, de l'oignon et des fines herbes? Un grand nombre de plantes, y compris celles qu'on appelle mauvaises herbes, ont des effets bénéfiques sur l'organisme, soit pour prévenir, soit pour guérir les maladies.

Autrefois, on connaissait ces propriétés médicinales des plantes auxquelles on n'hésitait pas à recourir en cas de malaises bénins; c'était souvent les seuls remèdes existants. Les premiers botanistes étaient d'ailleurs des médecins qui connaissaient les plantes d'abord comme source de médicaments. Connaissant le prix des médicaments chimiques d'aujourd'hui et leurs effets secondaires parfois dangereux, qui ne souhaiterait retrouver la science des Anciens?

Comme ces petits malaises ne coïncident pas toujours avec l'époque de la plante, mieux vaut constituer une petite herboristerie (réserve de plantes médicinales). Tout comme pour les plantes comestibles, il est essentiel de bien identifier la plante qu'on veut utiliser. Les circonstances de la récolte revêtent une certaine importance: les substances agissantes sont à leur meilleur à une époque particulière du développement de la plante. En général, récoltez la partie de la plante qui vous intéresse lorsqu'elle est à maturité, par temps chaud et sec et lorsque la rosée est disparue. S'assurer que les spécimens sont en bon état, et qu'ils ne montrent aucun signe de maladie. Les parties souterraines se récoltent de préférence à l'automne ou tôt au printemps et l'écorce qu'on prélève sur des branches âgées d'au moins deux ans, à la montée de la sève, avant l'éclatement des bourgeons.

Nettoyez les spécimens en évitant de les laver, car il faut ensuite les faire sécher. Le mieux est de couper les échantillons de grandes dimensions puis d'étaler la collection sur une grande surface, à l'ombre, dans un lieu aéré ou encore de les mettre dans un grand sac en papier qui leur assurera le maximum d'espace tout en absorbant l'humidité. On peut enfin les suspendre par la base, liés en paquets, et les mettre à l'abri de la poussière en les recouvrant d'un sac en papier formant abat-jour. Comme les plantes perdent leur efficacité plus ou moins rapidement en vieillissant, placez-les dans des pots hermétiques et indiquez sur l'étiquette le nom de la plante et la date de la récolte; gardez les pots à l'ombre.

Sous le signe ⚗ représentant le mortier des pharmaciens vous trouverez le mode d'emploi; ne pas exagérer la dose inutilement et donner au remède le temps d'agir. Aucun médicament ne peut en quelques heures corriger les méfaits d'une mauvaise alimentation ou revitaliser un organisme qu'on a négligé.

En conclusion

La cueillette des plantes sauvages permet un contact direct avec la nature dans un climat de détente et de paix; c'est sans doute leur valeur curative la plus certaine. Cueillez les plantes sauvages printanières mais soyez raisonnables, veillez à leur conservation, n'ajoutez pas aux multiples fléaux qui les menacent.

la végétation du Québec[1]

Le paysage végétal du Québec change continuellement sous les yeux du voyageur attentif qui le traverse, de la frontière américaine à l'Ungava; différentes zones de végétation se succèdent, en effet, du sud au nord. Un coup d'oeil sur les cartes des figures 1 et 2 permet de préciser ces zones en grande partie reliées aux types de climat du Québec. Il s'agit d'abord de la zone de la forêt décidue (ou feuillue), puis de la zone de la forêt mixte, de la zone de la forêt coniférienne, de la zone de la toundra forestière et enfin de la zone de la toundra. Indépendamment de cette zonation, on trouve des groupements végétaux qui eux sont plus particulièrement reliés à l'humidité du sol (souvent déterminée par la topographie). En milieu humide: la végétation en bordure des cours d'eau, la végétation des bas de collines et des dépressions où se trouvent les lacs, les marécages et les tourbières; en milieu sec: la végétation des hauts de flancs et des sommets de collines, la végétation des dépôts de sable et des pentes où le roc est près de la surface du sol; enfin la végétation des endroits perturbés par l'homme ou les cataclysmes naturels.

Les zones de végétation

Ces zones (cf. figure 1 et 2) se succèdent approximativement du sud au nord mais on les retrouve à peu de chose près lorsqu'on gravit une montagne élevée; on parle alors «d'étages de végétation» plutôt que de zones. Dans le cas précis du Québec, vu l'absence de montagne suffisamment élevée dans le secteur sud, il faut plutôt penser gravir deux ou trois montagnes dans des régions différentes pour traverser tous les étages de végétation possibles. Par exemple, une montérégienne (comme le mont Beloeil), puis une colline des Appalaches près de la frontière américaine et enfin un des hauts sommets des Chics-Chocs en Gaspésie.

1. Texte inspiré de Grandtner 1966.

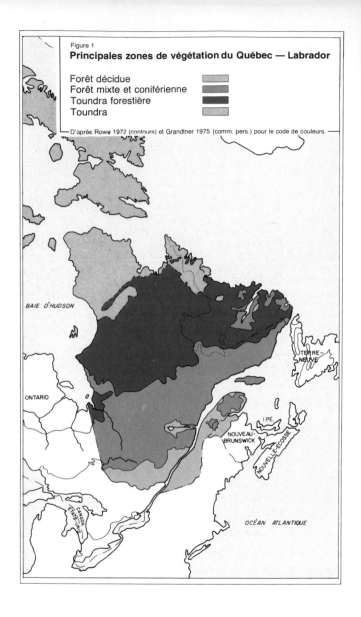

Figure 1

Principales zones de végétation du Québec — Labrador

Forêt décidue
Forêt mixte et coniférienne
Toundra forestière
Toundra

D'après Rowe 1972 (contours) et Grandtner 1975 (comm. pers.) pour le code de couleurs.

BAIE D'HUDSON

ONTARIO

TERRE-NEUVE

I.P.E.

NOUVEAU-BRUNSWICK

NOUVELLE-ÉCOSSE

CANADA
ÉTATS-UNIS

OCÉAN ATLANTIQUE

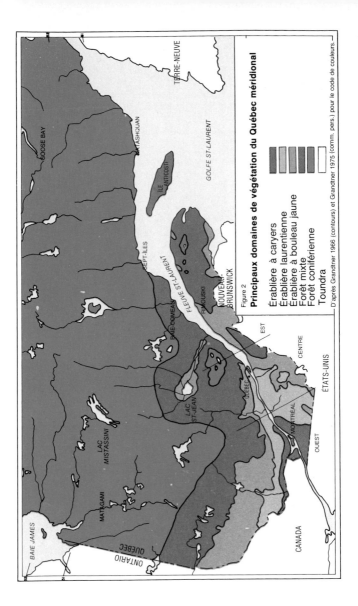

Figure 2

Principaux domaines de végétation du Québec méridional

- Érablière à caryers
- Érablière laurentienne
- Érablière à bouleau jaune
- Forêt mixte
- Forêt coniférienne
- Toundra

D'après Grandtner 1966 (contours) et Grandtner 1975 (comm. pers.) pour le code de couleurs.

1   **La forêt décide (ou feuillue[1])**

La forêt décide est ainsi nommée parce qu'elle est composée presqu'entièrement d'arbres décidus: érables, ormes, hêtres, tilleuls, bouleaux, caryers etc. Comme l'érable à sucre constitue généralement l'espèce dominante de la forêt décide québécoise, cette zone comprendra essentiellement des érablières. Dans ces érablières, l'érable à sucre est accompagné des arbres et arbustes suivants:

cerisier tardif, cornouiller à feuilles alternes, hêtre, noisetier, sureau rouge,

et de plusieurs plantes herbacées caractéristiques dont:

actée rouge, claytonie de caroline, dicentre du canada, dicentre à capuchon, érythrone d'amérique, sceau-de-salomon, smilacine à grappes, trille rouge.

On connaît trois grands types d'érablières, caractérisant chacune une subdivision, ou domaine, de la zone de la forêt décide.

a)   Deux de ces érablières (l'érablière à caryers et l'érablière laurentienne) sont plus riches en espèces et plus exigeantes quant aux conditions du milieu: sols moins acides et plus riches en éléments nutritifs, climat plus doux etc. Du point de vue de la flore, en plus des espèces communes à toutes les érablières on y trouve parmi les arbres et les arbustes:

bois de plomb, frêne blanc, noyer cendré, ostryer, tilleul,

et parmi les plantes herbacées:

actée à gros pédicelles, ail des bois, carcajou, caulophylle faux-pigamon, gingembre sauvage, hépatique à lobes aigus, pigamon dioïque, sanguinaire, trille blanc, uvulaire à grandes fleurs, violette du canada.

Le domaine de l'érablière à caryers occupait jadis le sud-ouest du Québec: les vallées de l'Outaouais, du Richelieu et du Saint-Laurent jusqu'au lac Saint-Pierre. Cette région est sans doute la plus défrichée et il ne subsiste que quelques parcelles de ces forêts.

Du point de vue des espèces végétales, l'érablière à

---

1. On utilise souvent le terme «feuillu» pour désigner les arbres qui ne sont pas des conifères; au sens strict, les conifères ont des feuilles et sont donc «feuillus». Nous préférons le terme «décidu(e)», de l'anglais *deciduous*, qui est plus précis et désigne spécifiquement les espèces qui renouvellent tout leur feuillage au même moment à chaque année.

caryers se distingue par la présence, entre autres, de ces arbres et arbustes:

> caryers cordiforme et ovale (noyer amer et tendre), charme de caroline, chêne à gros fruits, orme rouge, viorne à feuilles d'érable,

et de quelques espèces herbacées dont:

> claytonie de virginie, hépatique d'amérique.

Le domaine de l'érablière laurentienne, juxtaposé au précédent, forme à l'ouest du Saint-Laurent, une bande qui s'étend à peu près jusqu'aux contreforts des Laurentides et qui, à l'est, couvre l'Estrie et la Beauce (incluant la région dite des Bois-Francs et les plus méridionales et les moins élevées des Appalaches). Cette érablière compte les espèces signalées pour toutes les érablières et celles propres aux érablières riches; elle se distingue de l'érablière à caryers par l'absence des espèces propres à cette dernière et par la présence occasionnelle des espèces qui caractérisent l'érablière à bouleau jaune et la bétulaie jaune.

b) Le troisième type d'érablière se contente de conditions du milieu moins favorables: sols plus acides et moins riches, climat plus sévère etc.

Le domaine de l'érablière à bouleau jaune couvre le sud des Laurentides et le Témiscamingue, le Saguenay-Lac-Saint-Jean, une grande partie des Appalaches, le Bas-Saint-Laurent, le Témiscouata et certains secteurs bien localisés en Gaspésie. Du point de vue de la flore, c'est une érablière moins riche en espèces que les deux précédentes. On y rencontre les espèces communes à tous les types d'érablières, à l'occasion les espèces des érablières riches, un certain groupe d'espèces qu'on retrouvera également dans la bétulaie jaune:

> bois d'original, bouleau jaune, chèvrefeuille du canada, érable à épis, érable de pennsylvanie, streptope rose,

et un groupe d'espèces qu'on retrouvera dans la bétulaie mais aussi dans la forêt coniférienne:

> bouleau à papier, clintonie boréale, maïanthème du canada, médéole, salsepareille, sapin, sorbier d'amérique, trientale, trille ondulé,

et finalement un groupe d'espèces particulières à ce groupement végétal et comprenant entre autres:

> petit prêcheur (qu'on retrouve aussi dans certaines forêts tourbeuses), tiarelle.

2   La forêt mixte

La forêt mixte comprend, dans des proportions variables, des décidus et des conifères, principalement le bouleau jaune et le sapin mais aussi le bouleau à papier (ou bouleau blanc). C'est **le domaine de la bétulaie jaune à sapin ou de la sapinière à bouleau jaune** selon que l'une ou l'autre des espèces est plus abondante. En plus des espèces mentionnées pour la bétulaie jaune dans la description de l'érablière à bouleau jaune, on retrouve, à l'occasion, les espèces propres à cette érablière, surtout celles moins exigeantes en regard des conditions du milieu mais aussi quantité d'autres espèces qui ne fleurissent pas au printemps. En réalité, dans les forêts autres que les érablières on ne trouve qu'un nombre restreint d'espèces à floraison printanière.

3   La forêt coniférienne (ou boréale)

Comme son nom l'indique, la forêt coniférienne est dominée par des conifères, principalement par le sapin et les épinettes, donnant lieu à deux domaines:

le domaine de la sapinière
le domaine de la pessière[1]

Au Québec, ces forêts ont été peu étudiées des points de vue floristique et écologique. On y connaît peu d'espèces à floraison printanière; outre les espèces mentionnées pour la pessière dans la description de l'érablière à bouleau jaune et parmi celles dont on parle dans ce livre, signalons:

bleuet, fleur de mai, quatre-temps, savoyane, thé du labrador.

4   La toundra

Enfin, la toundra, caractérisée par l'absence d'arbres mais où dominent les arbustes. Elle est reliée à la forêt coniférienne par une formation mixte où se juxtaposent des parcelles de toundra et des parcelles de forêt, formation souvent appelée paradoxalement la toundra forestière. Dans ces régions nordiques ou de hautes montagnes, peu des espèces présentées dans ce livre subsistent à l'exception de certains arbustes.

On appelle «limite des arbres» la démarcation entre la toundra et la forêt. Là, les arbres cessent véritablement de ressembler à ce qu'il est convenu d'appeler des arbres, restent nains ou rabougris et laissent finalement la place aux arbustes mieux adaptés aux conditions extrêmes du milieu.

1. Pessière: groupement végétal dominé par l'épinette (*Picea* en latin)

Les groupements végétaux azonaux

Il ne s'agit pas d'uniformité totale de la végétation à l'intérieur d'une zone ni de la présence du seul groupement caractéristique de la zone. Dans des conditions moyennes du milieu (pente moyenne, drainage moyen etc.), la végétation tendra à ressembler à la formation végétale caractérisant la zone. Toutefois, on imagine facilement qu'à l'intérieur d'une zone, les conditions du milieu ne sont pas toujours «moyennes»: il existe des pentes abruptes et rocheuses, des dépressions de terrain remplies d'eau, des forêts récemment bûchées etc. Ces conditions du milieu qui s'écartent de la moyenne engendrent autant de groupements végétaux différents à l'intérieur même de chacune des zones de végétation. Voyons ce qui se passe dans quelque-uns de ces cas.

1   Les bords des cours d'eau

Les bords des cours d'eau sont fréquemment inondés, donnant naissance à toute une série de groupements végétaux depuis des prairies dites ripariennes[1], en passant par des groupements d'arbustes (souvent dominés par des saules ou des aulnes: saulaies et aulnaies) pour aboutir à des forêts ripariennes, dont la saulaie arborescente et la peupleraie à peuplier deltoïde (surtout le long du Saint-Laurent), l'érablière argentée, la frênaie à orme (ou ormaie-frênaie), la peupleraie boréale (synonyme: peupleraie à peuplier beaumier) et l'aulnaie.

Les cours d'eau situés au sud du Québec seront plutôt bordés par l'érablière argentée, ceux du centre par la frênaie à orme et ceux du nord par la peupleraie boréale puis par l'aulnaie. De l'importance du cours d'eau dépendra la superficie de sa zone d'influence mais même le plus petit ruisseau déterminera des conditions propices au frêne ou à l'aulne.

Dans l'un ou l'autre de ces groupements végétaux apparaissent plusieurs des espèces que l'on présente dans ce livre:

actée rouge, aulne, benoîte des ruisseaux, carcajou, cerisier à grappes, chatons, chèvrefeuille du canada, chou puant, érable à épis, érable rouge, fougère de l'autruche, hart rouge, iris, myosotis, noisetier, petit prêcheur, pimbina, populage des marais, trille rouge.

2   Les dépressions de terrain

Les dépressions dans lesquelles se situent les lacs constituent également un milieu très mouillé. Les lacs ayant

1. De l'anglais *riparian* dérivé du latin *riparius:* rivière.

tendance à se combler donneront naissance à des marécages ou à des tourbières caractérisés, dans le premier cas par une végétation plutôt herbacée, et dans le second par une végétation plutôt arbustive avec une surabondance de sphaignes[1].

Les marécages et les tourbières à leur tour ont tendance à se combler et à s'assécher ... modifiant ainsi les conditions du milieu et permettant à des espèces qui préfèrent les conditions nouvelles (plus sèches, moins acides etc.) de s'installer. Ce sont généralement des forêts qui occuperont ces nouveaux espaces «colonisables»; elles garderont leur caractère tourbeux. Il s'agit en particulier de l'érablière à érable rouge, de la cédrière tourbeuse, de la mélèzaie, de la pessière noire à sphaigne. L'un ou l'autre de ces groupements s'installera selon la latitude à laquelle on se situe et selon les conditions sous lesquelles s'effectue cette évolution.

Beaucoup d'espèces de la forêt coniférienne se retrouvent dans les forêts tourbeuses mais certaines sont propres à ces habitats dont, parmi les espèces présentées dans ce livre:

aulne, cassandre, chatons, érable rouge, hart rouge, iris, petit prêcheur, populage des marais, rhododendron du canada, thé du labrador.

3 Les terrains plus secs

Dans les endroits plus secs que la moyenne, par exemple les dépôts de sable, le sommet des collines, surtout lorsque le roc est près de la surface du sol, s'installeront des groupements dominés particulièrement par le chêne, le hêtre ou les pins. Le bord des chemins et certains endroits ouverts dépourvus d'arbres ou d'arbustes (donc très exposés au soleil) sont souvent très secs et comportent une flore particulière dont on présente au moins trois espèces dans ce livre:

antennaire, fraisier, houstonie.

4 Les terrains perturbés

Des «événements» particuliers peuvent perturber le couvert végétal d'une façon spectaculaire: l'homme, lorsqu'il défriche, trace des chemins, exploite la forêt, oriente l'évolution de la végétation; les incendies de forêts; les grands vents qui arrachent des lambeaux de forêts (chablis) et les autres cataclysmes naturels. Ainsi, après une coupe forestière ou un incendie s'installeront d'abord les framboisiers, les bleuets, les immortelles etc. puis se succéderont différents types de forêts

1. Sphaignes: genre de petites mousses qui vivent en milieu acide et emmagasinent l'eau autant que des éponges.

en particulier la tremblaie et la sapinière à bouleau blanc. Le tout aboutit, présume-t-on, au groupement végétal caractéristique de la zone de végétation dans laquelle se situe le territoire considéré. Parmi les espèces présentées dans ce livre, certaines se rattachent à ces habitats:

bermudienne, bleuet, cerisier à grappes, érable à giguère, herbe de sainte-barbe, lierre terrestre, petit merisier, petites poires, prêle des champs, senellier, tussilage.

Abénaquis. Tribu algonquine qui occupe aujourd'hui des territoires le long de la rivière Saint-François et à Québec.

Alcaloïde. Les alcaloïdes ont une certaine parenté avec les alcalis d'où la ressemblance des deux mots. On trouve parmi les alcaloïdes des produits somnifères.

Algonquins. Ensemble de tribus nomades qui occupaient un vaste territoire entre les Rocheuses et l'Atlantique; ils furent les grands utilisateurs de l'écorce de bouleau. Les Abénaquis, les Cris, les Mic Macs, les Montagnais et les Tête-de-Boule appartiennent à ce groupe. Désigne aussi la tribu qui occupait la vallée de l'Outaouais et qui donna sa langue et son nom à l'ensemble des tribus de la famille des Algonquins. Cette tribu occupe actuellement des territoires au nord de Hull et dans l'ouest de l'Ontario.

Alterne.[1] Mode de groupement des feuilles ou des autres parties de la plante placées une à une autour de la tige et à des niveaux différents: saule, bleuet.

Amérindien. Mot formé de Amérique et indien. Désigne l'ensemble des Indiens d'Amérique et ce qui est relatif à ces peuples. Le terme indien s'applique aux habitants de l'Inde et c'est parce qu'ils se croyaient rendus aux Indes que les premiers explorateurs ont donné aux indigènes d'Amérique le qualificatif d'indien. Dans le texte «Amérindien» désigne plus précisément les indigènes de l'est du Canada et du nord-est des États-Unis.

Antiscorbutique. Guérit le scorbut ou le prévient. Cette affection est due à une forte carence en vitamine C, les plantes anti-scorbutiques y suppléent.

Antiseptique. Qui combat l'infection en arrêtant le développement des microbes ou en les tuant (microbes = bactéries, virus, unicellulaires en général).

---

1. Ces termes sont illustrés par des dessins aux pages 246-247.

Aphrodisiaque. Propre à exciter le désir sexuel, à faciliter l'acte sexuel.

Arborescent. Qui a le port, l'allure d'un arbre.

Aromatique. Qui dégage un arôme, qui a une odeur agréable et pénétrante.

Astringent. Resserre les tissus, diminue les sécrétions des glandes et des muqueuses et arrête les saignements tout en facilitant la cicatrisation.

Aulnaie.[2] Groupement végétal dominé par l'aulne.

Bétulaie jaune.[2] (De *Betula:* nom latin du bouleau) groupement végétal dominé par le bouleau jaune.

Bulbe.[1] Bourgeon souterrain enveloppé d'écailles et rempli de réserves nutritives qui assurent la survie d'une plante d'année en année: ail des bois, oignon, tulipe.

Cataplasme. Préparation de consistance molle et pâteuse, faite avec une substance médicamenteuse, que l'on place entre deux épaisseurs de tissu et qu'on applique sur les parties malades.

Cédrière.[2] Groupement végétal dominé par le cèdre (ou thuya).

Charnu. Se dit d'un fruit dont la chair est épaisse et le plus souvent juteuse et molle ou d'une feuille épaisse et juteuse: cerise et feuilles de clintonie.

Cime. Sommet d'un arbre, d'un rocher, d'une montagne.

Colonie. Réunion de plusieurs individus d'une même espèce généralement issus les uns des autres.

Compresse. Pièce de linge imbibé soit d'eau chaude ou froide soit d'un liquide contenant une substance médicamenteuse (infusion de fleurs de sureau par exemple) et qu'on applique sur les parties malades.

Décidue (forêt).[2] Voir feuillue.

Décoction. Liquide obtenu en faisant bouillir quelques minutes dans de l'eau, du vin ou un autre liquide, une ou plusieurs parties d'une plante réduite en petits morceaux.

1. Ces termes sont illustrés par des dessins aux pages 246-247.
2. Pour plus de renseignements concernant les groupements végétaux, consulter l'introduction (p. 13) et le texte «la végétation du Québec».

Diurétique. Substance qui accroît l'action filtrante du rein: augmentation du volume de l'urine, élimination des toxines, guérison des affections rénales, restauration de la fonction normale.

Dune. Amoncellement, par l'action du vent, de sable en buttes ou collines ou en série de buttes; on les trouve au bord de la mer (dunes littorales) ou dans les déserts.

Enveloppement. Action d'envelopper ou de couvrir avec un linge imbibé.

Éperon. Prolongement en forme de tube de la corolle ou du calice en dessous de la fleur: ancolie.

Érablière.[2] Groupement végétal dominé par l'érable, généralement l'érable à sucre; terme utilisé ici sans référence à l'exploitation des produits de l'érable.

Feuillue (forêt).[2] Forêt dominée par des arbres décidus i.e. qui renouvellent tout leur feuillage en même temps à chaque année (généralement l'automne).

Foliole.[1] Chacune des divisions d'une feuille composée: sorbier.

Frênaie.[2] Groupement végétal dominé par les frênes.

Fuseau (en). De forme allongée, élargie au centre et se rétrécissant en pointe aux deux extrémités: fruit de la sanguinaire.

Grappe.[1] Inflorescence dans laquelle les queues de chaque fleur sont fixées sur un même axe central, lui-même attaché à la branche: grappe de cerises ou de raisins.

Grève. Terrain plat formé de graviers, au bord des mers, des lacs ou des cours d'eau. Par opposition la plage est formée de sable.

Hêtraie.[2] Groupement végétal dominé par le hêtre.

Inflorescence. Groupe de fleurs rassemblées d'une façon particulière sur une même plante: inflorescence en grappe, en ombelle, en épi.

Infusion. Tisane obtenue en versant sur des morceaux d'une plante de l'eau amenée au point d'ébullition; le liquide que l'on couvre doit reposer quelques minutes avant d'être filtré.

1. Ces termes sont illustrés par des dessins aux pages 246-247.
2. Pour plus de renseignements concernant les groupements végétaux, consulter l'introduction (p. 13) et le texte «la végétation du Québec».

Iroquois. Ces tribus occupaient la vallée du Saint-Laurent, les bords de la rivière Susquehanna et les rives des lacs Érié, Huron et Ontario. Groupés en confédération de cinq puis six nations, ils comptent parmi eux les Mohawks qu'on trouve aujourd'hui à Caughnawaga et les Hurons qui ont un village important près de Québec.

Laxatif. Purgatif doux qui aide à évacuer l'intestin sans aucun effet irritant.

Lobe.[1] Partie comprise entre deux larges échancrures des feuilles, des pétales: feuilles de l'érable à sucre.

Macération. Tisane résultant de l'opération qui consiste à laisser tremper une plante pendant plusieurs jours dans un liquide froid: vin, alcool, huile.

Marécage. Terrain recouvert d'une nappe d'eau stagnante généralement peu profonde, envahi par la végétation et où s'accumule la matière organique d'origine végétale. Cet habitat est plus humide que la tourbière et dominé plutôt par les joncs et les quenouilles que par les sphaignes et les arbustes de la famille des éricacées.

Mélèzaie.[2] Groupement végétal dominé par le mélèze.

Mixte (forêt).[2] Forêt où les décidus et les conifères sont tous les deux dominants.

Montagnais. Tribus de la famille algonquine qui occupaient la région du Bas-Saint-Laurent jusqu'aux terres habitées par les Esquimaux du Labrador. Ils occupent aujourd'hui des territoires des régions du Lac-Saint-Jean et de la Côte-Nord.

Narcotique. Substance qui provoque la détente musculaire et diminue la sensibilité favorisant ainsi le sommeil.

Ombelle.[1] Inflorescence dans laquelle les queues des fleurs, de longueur à peu près égale, partent toutes d'un même point et s'étalent comme les rayons d'un parapluie: salsepareille.

Opposées.[1] Mode de groupement des feuilles par paires qui se font face: chèvrefeuille.

Ouverts (lieux). Terrain à peu près complètement dépouillé d'arbres ou de gros arbustes.

1. Ces termes sont illustrés par des dessins aux pages 246-247.

2. Pour plus de renseignements concernant les groupements végétaux, consulter l'introduction (p. 13) et le texte «la végétation du Québec».

Pessière.[2] (De *Picea:* nom latin de l'épinette) groupement végétal dominé par les épinettes. La pessière noire est dominée par l'épinette noire.

Pétale.[1] Chacune des parties généralement colorées et voyantes de la fleur formant la corolle.

Peupleraie.[2] Groupement dominé par les peupliers.

Peupleraie boréale.[2] Groupement dominé par le peuplier baumier.

Pinède.[2] Groupement dominé par des pins; on utilise indifféremment ce terme ou le suivant quoique pinède devrait plutôt s'employer pour désigner une plantation de pins.

Pineraie.[2] Groupement végétal dominé par des pins.

Pionnière (espèce). Se dit des espèces qui s'installent les premières ou parmi les premières sur un terrain nu, dépourvu de végétation, comme un rocher, une plage, un lac, etc.

Pourpre. Rouge foncé tirant sur le violet: fleur du gingembre sauvage.

Prairie. Formation végétale dominée par des plantes herbacées.

Pulvériser. Broyer, réduire en poudre ou en miettes.

Purgatif. Substance qui provoque l'évacuation de l'intestin. Le purgatif a un effet plus violent et plus complet que le laxatif. On doit l'utiliser en petite quantité si on en ignore les effets.

Rhizome.[1] Tige souterraine généralement renflée, d'où partent des tiges aériennes et des racines: iris et sceau-de-salomon.

Rivage. Zone d'influence d'une nappe d'eau, d'un cours d'eau. L'influence peut être directe (cas d'une inondation) ou indirecte et s'exercer par l'entremise de la nappe phréatique.

Sapinière.[2] Groupement végétal dominé par le sapin.

Saulaie.[2] Groupement végétal dominé par des saules.

Segment.[1] Divisions des folioles d'une feuille composée comme celle de la carotte: feuille de l'ancolie.

1. Ces termes sont illustrés par des dessins aux pages 246-247.
2. Pour plus de renseignements concernant les groupements végétaux, consulter l'introduction (p. 13) et le texte «la végétation du Québec».

Sépale.[1] Chacune des parties généralement vertes entourant la fleur à l'extérieur des pétales et formant le calice.

Spatule (en). Feuille dont le bout est évasé et arrondi: feuille d'antennaire.

Stupéfiant. Substance qui produit une sorte d'inertie physique et mentale; l'état de stupeur s'accompagne de l'engourdissement de la sensibilité et de l'intelligence.

Sudorifique. Qui fait transpirer.

Talus (d'éboulis). Terrain en pente assez forte, formé par l'amas des matériaux d'éboulement (souvent au pied des falaises).

Teinture. Alcool ou éther contenant une substance végétale, animale ou minérale active au point de vue médicinal. On la prépare en faisant macérer pendant une ou deux semaines une partie de la plante fraîche dans cinq à six fois son poids d'alcool 60%.

Terrasse. Terrains plats se succédant en gradins et formés des dépôts laissés par une mer ou un cours d'eau lorsqu'ils se retirent.

Tête-de-Boule. Tribu algonquine actuellement installée en Haute-Mauricie.

Tisane. Boisson contenant une substance végétale médicinale, obtenue par infusion, décoction, macération ou solution.

Tonique. Substance qui aide l'organisme à retrouver son énergie et ses forces, qui le fortifie en activant les organes qui assurent la nutrition.

Tourbeux (bois).[2] Forêt installée sur les lieux d'une ancienne tourbière et dont le sol est encore constitué de tourbe.

Tourbière.[2] Terrain où s'accumule la tourbe, i.e. la matière organique d'origine végétale. L'habitat est très humide, généralement acide et la décomposition de la matière organique très lente. Dans le langage populaire les gens la désignent souvent par les termes inappropriés de *swamp* ou de marécage (consulter le glossaire à ce terme). Ce mot désigne aussi les premiers groupements végétaux herbacés ou arbustifs qui s'installent dans cet habitat et qui sont dominés par des sphai-

---

1. Ces termes sont illustrés par des dessins aux pages 246-247.

2. Pour plus de renseignements concernant les groupements végétaux, consulter l'introduction (p. 13) et le texte «la végétation du Québec».

gnes (peat moss) et des arbustes de basse taille (généralement de la famille du bleuet) ou par des plantes de la famille des carex.

Toxique. Substance qui empoisonne en détruisant ou en modifiant les fonctions vitales; certaines substances peuvent entraîner la mort, même à petite dose.

Transition (forêt de). Forêt non stable, destinée à être remplacée par un autre type de forêt.

Tremblaie.[2] Groupement végétal dominé par le tremble.

Usage externe. À utiliser sur les parties extérieures du corps; ne peut pas être avalé, injecté; les gargarismes, qui ne sont pas ingérés, appartiennent aux médicaments d'usage externe.

Usage interne. Peut être ingéré ou injecté à l'intérieur du corps.

Verticille (en).[1] Mode de groupement des feuilles par groupe de trois ou plus sur la tige: médéole.

Vivace. Se dit d'une plante dont au moins la partie souterraine vit plus de deux ou trois années.

1. Ces termes sont illustrés par des dessins aux pages 246-247.

2. Pour plus de renseignements concernant les groupements végétaux, consulter l'introduction (p. 13) et le texte «la végétation du Québec».

les plantes herbacées
à fleurs blanches

Trille blanc

Trillium grandiflorum (Michaux) Salisbury
Trille à grande fleur, trille grandiflore.
Large-flowered trillium. *White trillium.*

Liliaceae: famille du lis; *lily family*.

< De *tres:* trois, allusion à la disposition en groupes de trois des parties de la plante; *grandiflorum:* à grande fleur.

❀ Plante vivace (haut. 20-45 cm) à rhizome. Feuilles larges et pointues, rassemblées toutes trois au sommet de la tige. Une seule grande fleur à pétales larges, d'un blanc éclatant devenant rose avec l'âge. Fruit bleu noir, à maturité.

↴ Généralement dans l'érablière à caryers et occasionnellement dans l'érablière laurentienne.

⚜ Basses terres du Saint-Laurent; abondant surtout dans la région montréalaise et l'Outaouais.

≠ Il existe une autre espèce de trille à fleur blanche, le trille penché *(T. cernuum),* que l'on reconnaît facilement par sa fleur portée sur une queue recourbée la cachant ainsi sous les feuilles.

Le trille blanc a été choisi comme emblème floral de l'Ontario.

✗ Les jeunes pousses des trilles s'utilisent comme des légumes: on les mange cuites. Le rhizome est vomitif et on conseille de se méfier des fruits.

⚕ Quoique moins utilisés, ces trilles auraient les mêmes propriétés que le trille rouge (p. 105).

Trille ondulé

Trillium undulatum Willdenow
Trille à pétales ondulés, trille peint.
Painted trillium. *Birthroot, painted lady.*

Liliaceae: famille du lis; *lily family.*

< *Undulatum:* ondulé, réfère aux pétales.

✿ Plante vivace (haut. 20-45 cm) à rhizome. Feuilles semblables à celles du trille blanc mais pourvues d'une courte queue. Fleur blanche à 3 pétales étroits et ondulés, marqués d'un «V» rouge à la base. Fruit charnu, d'un rouge éclatant.

↓ Dans l'érablière à bouleau jaune, les forêts mixtes ou conifériennes et dans les bois tourbeux.

⚜ Le sud du Québec jusqu'à Baie Comeau et l'Abitibi.

≠ Il existe une autre espèce de trille à fleur blanche, le trille penché *(T. cernuum),* que l'on reconnaît facilement par sa fleur portée sur une queue recourbée la cachant ainsi sous les feuilles.

Le nom iroquois du trille ondulé signifie «front ridé» par allusion à l'apparence des pétales.

✕ Les jeunes pousses des trilles s'utilisent comme des légumes; on les mange cuites. Le rhizome est vomitif et on conseille de se méfier des fruits.

⚗ Quoique moins utilisés, ces trilles auraient les mêmes propriétés que le trille rouge (p. 105).

Sanguinaire

Sanguinaria canadensis Linnaeus
Sang-dragon, sanguinaire du canada.
Bloodroot. *Red-root, indian plant, red indian-paint, red or white or yellow puccoon, sweet-slumber, tetterwort, turmeric.*

Papaveraceae: famille du pavot; *poppy family.*

< De *sanguinarius:* saignant, allusion à la couleur du latex; *canadensis:* du Canada.

Plante vivace à latex rouge. Une seule feuille (larg. 15-20 cm) épaisse, découpée en lobes à contour sinueux. Fleur solitaire sur une queue naissant directement du sol comme celle de la feuille (plante acaule); 8-16 pétales blancs tombant tôt. Fruit sec, vert, en forme de fuseau.

Lieux rocheux ou humides des érablières riches.

Basses terres du Saint-Laurent; régions de Rivière-du-Loup, Rimouski et Matapédia.

Le nom iroquois «racine qui saigne» désigne bien cette plante curieuse qui, fraîchement cassée, laisse couler un latex rouge. Les Amérindiens en faisaient une teinture pour le visage ou les vêtements et les Iroquois utilisaient des gouttes d'une infusion de rhizomes contre les maux d'oreille.

Renferme de la sanguinarine, toxique en grande quantité.

La sanguinaire témoigne de sa parenté avec le pavot par des substances chimiques communes; elle fait partie de la pharmacopée nord-américaine, mais son usage est dangereux et son goût abominable. On récolte le rhizome à l'automne quand la feuille meurt. On l'emploie séché, contre les maladies des organes respiratoires (asthme, bronchite, coqueluche, etc), pour stimuler les règles et comme aphrodisiaque. La poudre du rhizome fait éternuer et on la prise contre les polypes du nez. Le jus acide est irritant pour l'épiderme. En poudre, infusion ou teinture, le rhizome combat les maladies de peau, dont l'eczéma chronique. Infuser pendant 30 minutes 1 c. thé comble par 2½ t. d'eau et filtrer; prendre froid, 1 c. thé 3-6 fois par jour ou s'en tenir à l'usage externe.

Anémone du canada

Anemone canadensis Linnaeus
Canadian anemone. *Canada anemone, windflower.*

Ranunculaceae: famille du bouton d'or; *buttercup family.*

< *Anemone:* dérivé du nom sémite d'Adonis *(na-man),* personnage mythologique, ou de *anemos:* vent, plante qui croît dans les lieux venteux; *canadensis:* du Canada.

Colonie d'anémones du canada

♣ Plante vivace (haut. 30-60 cm) à tige un peu velue. Feuilles de base à longues queues, grandes (larg. 10 cm), profondément découpées et dentées; «feuilles» de la tige semblables mais sans queue. Fleurs (diam. 3-4 cm) d'un blanc pur, à 5 sépales ayant l'aspect de pétales. Fruits secs, petits, non laineux, réunis en sphères terminales (diam. 1 cm).

↓ Affectionne les lieux humides, particulièrement les bordures de fossés, les rivages et dépôts vaseux de rivières, parfois les marécages et les pâturages boisés.

⚜ Principalement dans les basses terres du Saint-Laurent, les Appalaches et la Gaspésie, le Saguenay-Lac-Saint-Jean.

≠ On connaît plusieurs autres anémones au Québec, certaines présentent des fleurs plus petites, d'un blanc jaunâtre ou verdâtre; d'autres ont des fleurs semblables à celles de l'anémone du canada, mais elles fleurissent à l'été.

Adonis était si beau que dès sa naissance la déesse de l'amour, Aphrodite (c'est-à-dire Vénus), s'éprit de lui. Elle le confia à Perséphone (c'est-à-dire Proserpine), la reine des enfers, qui en fut elle aussi amoureuse et c'est en vain qu'Aphrodite le réclama à Perséphone. Zeus (le plus puissant des dieux) décida qu'Adonis passerait l'automne et l'hiver avec Perséphone et le reste du temps avec Aphrodite. Adonis aimait la chasse et Aphrodite l'accompagnait souvent dans ses expéditions. Un jour il partit seul à la poursuite d'un sanglier qui le blessa à mort. Aphrodite arriva trop tard pour le sauver; elle ne put que recueillir son dernier souffle mais elle transforma en anémone pourprée chacune des gouttes de sang qui toucha la terre. En référence à ce dieu, le nom Adonis désigne dans la langue française un adolescent ou un jeune homme d'une beauté remarquable. Dans le langage des fleurs, l'anémone représente le refus et l'abandon.

✖ Les anémones seraient toxiques pour le bétail.

Hépatique à lobes aigus

Hepatica acutiloba De Candolle
Hépatique acutilobée, trinitaire.
Sharp-lobed liverleaf. *Cristal wort, hepatica, heart or noble liverleaf, heart-, noble- or sharp-lobed liver-wort, herb trinity, may-flower, mouse ears, spring-beauty.*

Ranunculaceae: famille du bouton d'or; *buttercup family.*

< De *hepaticus:* ayant rapport au foie, d'après la forme des feuilles; *acutiloba:* à lobes aigus.

❀ Petite plante vivace croissant en touffes. Feuille plus large que longue, à lobes aigus (3-5), poilue sur la face inférieure. Fleurs à 5-10 pétales allant du blanc au violet, chacune portée sur une longue queue (10-20 cm), naissant directement du sol comme celles des feuilles.

↴ Uniquement dans les érablières les plus riches (à caryers et laurentienne) qu'elle caractérise.

⚜ Dans les limites de son habitat: les basses terres du Saint-Laurent, sauf au Lac Saint-Jean.

≠ On trouve également, surtout dans la région de Montréal et de l'Outaouais, l'*Hepatica americana* dont les lobes des feuilles sont arrondis. Certains auteurs considèrent ces deux hépatiques comme des variétés d'une seule espèce. En fait, il semble qu'on trouve des spécimens dont les lobes ne sont ni nettement arrondis ni nettement aigus.

Jadis, on a attribué aux plantes l'usage médical qui était suggéré par leurs particularités de forme ou de couleur: c'est ce qui constitue la «doctrine des signatures». Ainsi les plantes à fleurs rouges devaient purifier le sang, les orties qui chauffent la peau, stimuler la circulation, l'hépatique, soulager les malaises du foie. Il va sans dire que cette théorie est tombée en désuétude, et c'est une coïncidence si certaines plantes ont effectivement les propriétés ainsi attribuées. Le nom iroquois signifie «qui surveille l'érable» parce que les hépatiques se trouvent toujours dans une érablière. Les fleurs déjà formées à l'automne s'ouvrent très tôt au printemps et les nouvelles feuilles apparaissent plus tard; celles qu'on observe en même temps que les fleurs datent généralement de l'année précédente. On peut cultiver les hépatiques sur un terrain

bien drainé et plutôt ombragé; il existe des variétés ornementales à fleurs doubles et aux couleurs variées.

🥣 Les deux espèces ont les mêmes propriétés médicinales, mais elles n'ont pas la réputation d'être particulièrement efficaces. Les infusions de feuilles (1 c. thé par t., sans danger de dose excessive) soulagent les désordres du foie, l'indigestion, le rhume et la fièvre.

Quatre-temps

Cornus canadensis Linnaeus
Cornouiller du canada, matagon (île aux Coudres), pain d'oiseaux ou de perdrix, rougets.
Dwarf cornel. *Bunch-, cracker-, plum- or pudding-berry, low cornel.*

Cornaceae: famille du cornouiller; *dogwood family.*

< De *cornu:* corne, allusion à la dureté du bois de certaines espèces arbustives; *canadensis:* du Canada.

♣ Petite plante (8-20 cm) formant généralement des colonies. Tige simple portant au sommet 6 feuilles sans dents, à nervures très marquées. Fleur en apparence solitaire, grande, mais regroupant en fait plusieurs fleurs très petites, verdâtres, entourées de 4-6 bractées blanc crème ressemblant à des pétales. Fruits charnus, rouge clair. On rencontre souvent chez cette espèce des individus stériles, sans fleurs, avec seulement 4 feuilles au sommet de la tige.

↴ Espèce très fréquente et omniprésente dans les bois frais ou humides qu'elle caractérise: forêts mixtes et conifériennes, forêts tourbeuses (incluant l'érablière à érable rouge), à l'occasion dans certaines érablières à bouleau jaune, au sol particulièrement pauvre. On le retrouve fréquemment sur les rochers.

⚜ Tout le Québec au sud de la limite des arbres.

La fausse corolle attire les insectes vers les vraies fleurs, qui sans cela passeraient inaperçues. Quelques oiseaux mangent les fruits. En abénaquis, le nom du quatre-temps signifie «quand on a des points» parce qu'on l'emploie contre ce malaise. Les Tête-de-Boule de Manouan en font un remède contre le rhume en faisant bouillir la plante avec le thé des bois; bouillie avec des rameaux d'if, ils l'emploient pour soulager les menstruations douloureuses. La racine peut remplacer la brosse à dents.

✕ À l'état frais, le fruit a un goût fade mais il est tout de même agréable à manger. On fume parfois les feuilles comme du tabac.

⚗ La racine séchée et bouillie est un remède légèrement stimulant contre le rhume et la fièvre. Fraîche, elle est diurétique.

Claytonie de caroline

Claytonia caroliniana Michaux
Spring beauty. *Carolina or white-leaved spring beauty.*

Portulacaceae: famille du pourpier; *purslane family.*

< Genre dédié à John Clayton (1685-1773), bota-
niste américain; *caroliniana:* de Caroline.

Plante vivace (15-30 cm). Feuilles allongées, d'un
vert blanc, un peu charnues. Fleurs (diam. 1-2 cm) rassemblées
au sommet de la tige, à 5 pétales blancs ou rosés, rayés de rose.

Particulièrement abondante dans tous les types
d'érablières à sucre; exceptionnellement dans les plus riches
des forêts mixtes (bétulaie jaune).

Les basses terres du Saint-Laurent, les Laurentides, la Beauce et certaines érablières à bouleau jaune de la
côte de Gaspésie.

Dans la région de Montréal et vers le sud-ouest
(entre le Saint-Laurent et le Richelieu), on trouve également le
Claytonia virginica, dont les feuilles sont beaucoup plus étroites
(linéaires) que celles de la claytonie de caroline.

Cette petite fleur parfumée forme parfois de grands tapis dans les
bois. Lorsque le fruit est mûr, il éclate en projetant ses graines
jusqu'à 60 cm de distance. C'est l'une des plantes printanières dont
la partie aérienne disparaît complètement avant l'arrivée de l'été.

Les bulbes profondément enfouis sont riches en
amidon et se consomment crus, rôtis ou bouillis; ils remplacent
les pommes de terre dans les soupes, les salades, etc. Les
jeunes tiges et feuilles crues agrémentent les salades du printemps; lorsqu'elles sont plus avancées, il faut les cuire avant
de les manger.

Savoyane

Coptis groenlandica (Oeder) Fernald
Coptide à trois feuilles ou du groenland, sabouillane,
sibouillane, tisavoyane.
Gold-thread. *Canker-, mouth or yellow-root, tisa-*
voyanne.

Ranunculaceae: famille du bouton d'or; *buttercup family.*

< De *coptein:* couper, par allusion aux feuilles
divisées; *groenlandica:* du Groenland.

Plante vivace (haut. 8-13 cm) à rhizome fin et
jaune orangé. Feuilles (3-5 cm) à 3 lobes, avec de longues
queues. Fleurs petites, blanches, avec 5-7 pétales, chacune portée
sur une longue queue fragile. Fruits secs en ombelle.

Espèce des bois froids et humides: forêts conifériennes ou tourbeuses et forêts mixtes (sapinière à bouleau jaune).

Tout le Québec jusqu'à la limite des arbres.

≠ La feuille ressemble vaguement à celle du fraisier
(p. 71) mais elle s'en distingue facilement par sa texture
beaucoup plus coriace.

On extrait une teinture jaune du rhizome et le nom populaire,
savoyane, vient d'un mot amérindien signifiant teinture pour les
peaux. Certaines tribus employaient, contre le rhume, cette
plante mêlée au gingembre sauvage (p. 113). Si l'on tient
compte de la proximité du Groenland et du Québec, on comprendra que certaines de nos espèces (particulièrement celles
qui fréquentent le nord) portent le nom latin de *groenlandica*
ou *groenlandicum* et soient communes aux deux contrées.

Le rhizome, lavé et séché, sert à préparer une
infusion amère qui est un antiseptique et un tonique reconnu
pour le système digestif (½ c. thé en poudre par tasse, infuser
¼ heure; dose: 1 c. tab. avant les repas). On mâche ces rhizomes contre les maux de bouche ou de dents . . . ou simplement
pour expérimenter ce qu'est l'amertume!

Trientale boréale

Trientalis borealis Rafinesque
Star-flower. *Chickweed-wintergreen.*

Primulaceae: famille de la primevère; *primrose family.*

< *Trientalis:* signifie probablement un tiers de pied et fait allusion à la petite taille de la plante; *borealis:* du nord.

♣ Plante vivace à tige simple (haut. 5-25 cm). De 5 à 10 feuilles allongées, toutes rassemblées au sommet de la tige. Fleurs petites (diam. 1 cm), blanches en forme d'étoile, partant du centre de la «rosette» de feuilles. Fruits bleu très pâle, semblables à des perles.

↳ Bois frais et humides: érablière à bouleau jaune, forêts mixtes, coniférennes ou tourbeuses.

⚜ Le Québec jusqu'à la limite des arbres.

≠ En général, bien qu'ils soient plus courts, les individus dépourvus de fleur ressemblent aux spécimens stériles de médéole (p. 135). La forme générale de la feuille permet de les distinguer: celle de la trientale est effilée aux deux bouts; celle de la médéole est élargie à la base.

Le terme «boréal» spécifie que l'espèce croît dans les lieux nordiques où qu'elle se plaît dans les habitats frais; il s'applique à plusieurs de nos espèces: la clintonie boréale, le millepertuis boréal, le rhinante boréal, etc... Boréal vient de Borée, le vent du nord (Aquilo en latin). La légende veut que le peuple d'Athènes se soit opposé au mariage de Borée et d'Orithye. Fortement épris de sa belle, Borée l'aurait enlevée dans une bourrasque alors qu'elle jouait au bord d'une rivière.

Sceau-de-salomon

Polygonatum pubescens (Willdenow) Pursh
Herbe aux panaris, résinet, sceau-de-salomon pubescent.
Hairy solomon's-seal. *Conquer-john, dwarf solomon's-seal, sealwort.*

Liliaceae: famille du lis; *lily family.*

< De *poly:* plusieurs, et *gonat:* genou, par allusion aux nombreuses nodosités de la racine, ou peut-être aux nombreux joints de la tige; *pubescens:* portant des poils.

♣ Plante à rhizome portant des cicatrices à intervalles réguliers. Tige (long. 30-90 cm) légèrement arquée. Feuilles alternes, ovales, presque sans queue et à nervures parallèles très marquées. Fleurs verdâtres ou rosées, pendant 2 à 2 à la base des feuilles. Fruits charnus bleus.

↴ Dans tous les types d'érablières à sucre, parfois dans les plus riches des forêts mixtes.

⚜ Surtout: basses terres du Saint-Laurent, sud des Laurentides, Beauce; au Témiscamingue et à Rimouski.

≠ Le sceau-de-salomon peut aisément être distingué des autres liliacées à tige arguée (smilacines, p. 63; streptopes, p. 111; uvulaires, pp. 129, 131). La plante est d'un vert bleuâtre, la tige ne se ramifie jamais, les fleurs ou fruits bleus sont toujours en groupes de 2 à la base des feuilles légèrement poilues sur la face inférieure.

Une légende raconte que Salomon, reconnaissant les vertus médicinales de la plante en aurait marqué le rhizome de son sceau d'approbation. Ces marques sont les cicatrices des tiges antérieures dont le nombre indique l'âge minimal de la plante. D'après la doctrine des signatures (p. 49), les cicatrices du rhizome inspiraient aux gens d'utiliser la racine contre les meurtrissures, contusions, etc.

✗ Le rhizome est comestible: le faire cuire une vingtaine de minutes dans l'eau bouillante ou le faire sécher et le réduire en poudre pour ensuite l'utiliser comme une farine. Les jeunes pousses se mangent en guise d'asperges ou encore on les ajoute aux soupes, aux bouillis, etc.

⚕ Le rhizome et les fruits pourraient être vomitifs dans certains cas. L'emploi du rhizome frais et broyé comme cicatrisant sur les blessures relève probablement plus du folklore que de l'efficacité.

61

Smilacine à grappes

Smilacina racemosa (Linnaeus) Desfontaines
False solomon's-seal. *False-, indian or wild spikenard, golden-seal, job's-tears, scurvey berries, small or zigzag solomon's-seal, solomon's plume or zigzag, treacle berry, wild lily-of-the-valley.*

Liliaceae: famille du lis; *lily family.*

< *Smilacina:* diminutif de *Smilax,* femme d'une beauté légendaire qui fut dit-on changée en fleur; *racemosa:* à grappes.

♣ Plante vivace (30-75 cm). Tige arquée portant plusieurs feuilles largement étalées, alternes et sans queue. Fleurs très petites, crème, rassemblées en grappe à l'extrémité de la tige. Fruits nombreux, charnus, rouges piqués de pourpre.

↓ Croît isolée ou en colonie dans les érablières (à caryers, laurentienne, à bouleau jaune), parfois le long des cours d'eau dans les frênaies à orme; également dans les clairières.

⚜ Abonde dans les limites de son habitat au Québec: basses terres du Saint-Laurent, sud des Laurentides, Appalaches et Gaspésie.

Les Abénaquis employaient, pour les hommes, la smilacine à grappes contre les vomissements de sang, le remède pour les femmes étant le sceau-de-salomon (p. 61); ils considéraient ces deux plantes comme des formes d'une même espèce.

✗ On mange les jeunes pousses des smilacines cuites comme des asperges; elles n'en ont cependant pas toute la saveur. Les fruits sont purgatifs. Le rhizome de la smilacine à grappes est comestible et très aromatique, mais il a mauvais goût; les Amérindiens le trempaient dans la lessive (soude caustique) pour enlever ce goût et le faisaient ensuite bouillir pour enlever toute trace de lessive. Les fruits frais de la même espèce sont juteux et surettes; ils se conservent longtemps.

Smilacine étoilée

Smilacina stellata (Linnaeus) Desfontaines
Star-flowered false solomon's-seal. *False-, small false, star-flowered or starry false solomon's-seal, starry smilacine, wild lily-of-the-valley, wild spikenard.*

Liliaceae: famille du lis; *lily family.*

< *Stellata:* en forme d'étoile.

♣ Plante vivace (15-50 cm). Tige droite ou arquée, portant dans un même plan 2 rangs de feuilles alternes, paraissant s'emboîter les unes dans les autres à leur base. Fleurs petites, crème, en forme d'étoile, formant une grappe. Fruits charnus, d'abord verts rayés de noir, devenant rouges.

↴ Se plaît particulièrement dans les lieux ouverts et sableux où elle forme d'importantes colonies: dunes, grèves et plages maritimes, bordures des chemins, terrasses de sable. Occasionnellement on la trouve en forêt et au sud de la province elle s'installe plutôt dans les marécages.

⚜ Abonde surtout autour du golfe Saint-Laurent au sud du Labrador. On la retrouve aussi dans les basses terres du Saint-Laurent et le long du Saint-Maurice puis sporadiquement jusqu'au sud de la baie James.

≠ Autour du golfe Saint-Laurent, l'espèce présente des variations importantes: elle est plus robuste, dressée plutôt qu'arquée, les feuilles sont épaisses, plus rapprochées et d'un vert jaune plutôt que bleu . . . c'est la variété *crassa* Victorin.

Les oiseaux (perdrix, grives, viréos) et les petits mammifères mangent les fruits, tandis que les fleuristes les utilisent pour la décoration de leurs bouquets. On peut fabriquer des colliers avec les fruits presque mûrs de la smilacine étoilée.

✕ On mange les jeunes pousses des smilacines cuites comme des asperges; elles n'ont cependant pas toute la même saveur. Les fruits sont purgatifs.

Dicentre à capuchon

Dicentra cucullaria (Linnaeus) Bernhardi
Coeurs saignants des bois, culottes de hollandais,
diclytrie en cornet.
Dutchman's breeches. *Bachelor's or little-boy's
breeches, bleeding hearts, boys-and-girls, butterfly-
banners, colic-weed, indian-boys-and-girls, kitten-
breeches, monks-hood, soldier's cap, white-hearts.*

Fumariaceae: famille des coeurs saignants; *fumitory
family.*

< De *dis:* double et *centron:* éperon; *cucullaria:*
ancien nom de genre signifiant «en forme de coiffe».

Petite plante (15-30 cm) à bulbe écailleux. Feuilles minces, étalées, d'un vert identique sur les 2 faces, finement découpées en segments étroits, semblables à celles de
la carotte. Fleurs petites et pendantes, blanches et jaunes, prolongées par 2 éperons aigus et écartés.

Dans les divers types d'érablières à sucre: à
caryers, laurentienne, plus rarement dans l'érablière à bouleau
jaune. Parfois dans les frênaies à orme longeant les cours d'eau.

Basses terres du Saint-Laurent, Appalaches,
Gaspésie et Lac-Saint-Jean.

Les coeurs saignants des jardins *(D. spectabilis)* appartiennent au
même genre. Les fleurs ne sont accessibles qu'aux abeilles et aux
papillons qui ont une trompe assez longue pour atteindre le nectar
des éperons. Cependant, comme chez l'ancolie (p. 107), on trouve
souvent des fleurs ayant les éperons percés, probablement par des
insectes.

Les dicentres renferment des alcaloïdes toxiques
qui peuvent être mortels.

Dicentre du canada

Dicentra canadensis (Goldie) Walpers
Squirrel corn. Colic-weed, little-girl plant, turkey corn
or pea, wild hyacinth.

Fumariaceae: famille des coeurs saignants; fumitory
family.

�✿ Plante vivace (15-30 cm) à rhizome couvert de
petits renflements en forme de pois. Feuilles semblables à celles
de la dicentre à capuchon mais d'un vert bleu sur la face inférieure. Fleurs petites et pendantes, blanches teintées de rose,
prolongées par 2 éperons courts et arrondis.

↓ Dans les érablières riches: érablières à caryers et
laurentienne. On la rencontre souvent avec la dicentre à capuchon.

⚜ Moins nordique que l'espèce précédente: basses
terres du Saint-Laurent et Beauce. Plus fréquente dans la région
de Montréal et dans l'Estrie jusqu'au lac Champlain.

Les dicentres illustrent bien un groupe de plantes printanières dont
la période de croissance est des plus éphémères. Dès le début
du printemps, ces espèces sortent vivement leurs feuilles et leurs
fleurs, élaborent rapidement leurs fruits puis elles disparaissent
ne laissant subsister que leurs parties souterraines. Telles sont,
en plus des dicentres, les claytonies (p. 55) et l'érythrone (p. 127)
dont on ne retrouve aucune trace à la surface du sol en été.
C'est dans les érablières que le passage d'une saison à l'autre
se manifeste le mieux: le tapis de fleurs printanières fait place
aux plantes d'ombre à larges feuilles foncées; la fin de l'été
coïncide avec la floraison des asters et des verges d'or, avant
la grande finale en couleurs du feuillage des arbres.

✖ Les dicentres renferment des alcaloïdes toxiques
qui peuvent être mortels.

Fraisier

Fragaria Linnaeus
Capredon (France).
Strawberry. *Sow-teat strawberry.*

Rosaceae: famille de la rose; *rose family.*

< De *fraga:* d'après la fragrance du fruit.

♣ Petite plante (5-15 cm) à rhizome, produisant des «courants» à la surface du sol. Feuilles divisées en 3 lobes dentés, à queues velues. Fleurs petites (diam. 1 cm), à 5 pétales blancs. Fruits minuscules à la surface de la fraise.

⌐ L'une de nos deux espèces *(F. americana)* se rencontre généralement dans des endroits partiellement ombragés ou dans des forêts mixtes ou conifériennes. L'autre *(F. virginiana),* plus commune, croît dans les lieux ouverts et secs, surtout dans les champs et pâturages.

⚜ On trouve les fraises dans tout le Québec, jusqu'à la baie d'Hudson (Golfe de Richmond) et au Labrador (Goose Bay). L'espèce la moins commune semble plutôt confinée aux Appalaches, à la Gaspésie et aux basses terres du Saint-Laurent.

L'essence des fruits est utilisée dans les soins de beauté pour tonifier la peau, combattre les rides et les taches de rousseur ou enlever un bronzage léger; en appliquer pendant 30 minutes sur un coup de soleil au visage. Le jus des fruits gardé quelques minutes dans la bouche agit à la façon d'un dentifrice.

✕ Pour conserver les fraises sauvages, ne pas les faire cuire mais les ajouter à un sirop chaud; faire refroidir, sceller et congeler le plus rapidement possible. Récoltées à la fin de l'été, les feuilles des fraisiers donnent un thé agréable.

✍ Quelques feuilles de fraisiers infusées ou bouillies dans une tasse d'eau donnent un astringent doux employé contre la diarrhée; c'est une version de l'extrait de fraise vendu en pharmacie. Par contre les fruits, mangés en quantité, sont laxatifs; ils sont aussi utiles contre les rhumatismes, la goutte et l'hypertension. Les racines sont employées comme diurétique ce qui, de plus, agit favorablement sur l'épiderme: faire bouillir 1 c. thé de racines par t. d'eau.

Carcajou

Dentaria diphylla Michaux
Corson (de cresson), dentaire à deux feuilles, snicroûte.
Two-leaved toothwort. *Crinkle- or snake-root, pepper-worth, trickle, two-toothed pepper-root.*

Cruciferae: famille de la moutarde; *mustard family.*

< De *dens:* dent, allusion à la forme du rhizome de certaines espèces; *diphylla:* à deux feuilles.

Plante vivace (20-35 cm) à rhizome blanc et charnu. Tige robuste, ne portant que 2 feuilles à l'aspect charnu, opposées et divisées en 3 parties dentées. Fleurs à 4 pétales blancs disposés en croix, réunies en grappe au sommet de la tige. Fruits semblables à ceux de la moutarde.

Dans tous les types d'érablières à sucre, particulièrement sur les sites humides. Dans la frênaie à orme le long des cours d'eau.

Basses terres du Saint-Laurent, Beauce et érablières de Gaspésie.

≠ On trouve au Québec deux autres espèces de dentaire qui semblent moins fréquentes: *D. laciniata* et *D. maxima.*

Le nom abénaquis signifie «petites veines» à cause des racines qui serpentent dans le sol. Les Amérindiens l'employaient couramment comme condiment. Les Iroquois faisaient une infusion du rhizome avec celui du cypripède jaune (p. 109 *C. calceolus)* pour traiter la tuberculose, à son début.

Le goût du rhizome rappelle celui du raifort: l'utiliser cru ou râpé et mélangé à du vinaigre ou encore bouilli.

La plante crue est une source de vitamine C.

Antennaire

Antennaria Gaertner
Herbe blanche, immortelles, pied de chat.
Everlasting. *Cat's foot, ladies-tobacco, pussy's toes.*

Compositae: famille de la marguerite; *daisy family.*

< *Antennaria:* les étamines des fleurs ressemblent aux antennes des papillons.

♣ Plante vivace (haut. 5-40 cm) à feuilles et tiges laineuses. Feuilles en forme de spatule, rassemblées à la base et étalées sur le sol. Tige simple portant quelques feuilles minuscules. Fleurs petites, blanchâtres, réunies en tête dense au sommet de la tige.

↓ Les espèces d'antennaires de la zone habitée du Québec croissent généralement dans des terrains secs: champs, bordures des routes, rochers et rivages.

≠ L'identification des différentes espèces d'antennaires présente parfois des difficultés: les caractères distinctifs sont mal définis et variables.

Plusieurs oiseaux et petits mammifères se nourrissent des feuilles. Le genre est dioïque, c'est-à-dire que les individus sont soit mâles, soit femelles. On rencontre cependant peu de mâles: sans l'intervention de ceux-ci, les femelles produisent des graines qui donnent uniquement des plants femelles (par parthénogénèse).

Maïanthème du canada

Maïanthemum canadense Desfontaines
Muguet.
Wild lily-of-the-valley. *Elf-feather, false lily-of-the-valley, scurvey berries, two-leaved solomon's seal.*

Liliaceae: famille du lis; *lily family.*

< De *maïus:* mai, et *anthemon:* fleur; *canadense:* du Canada.

♣ Petite plante (haut. 8-25 cm), à rhizome grêle. Deux ou trois feuilles lisses et généralement sans queue, larges à la base et pointues au sommet, en forme de coeur allongé. Fleurs très petites, blanches ou crème, réunies en grappe au sommet de la tige. Fruits charnus, jaune beige, piqués de rouille, devenant rouges.

↴ Espèce forestière très fréquente et très abondante dans les bois frais. À l'occasion dans l'érablière laurentienne et la hêtraie, mais surtout dans l'érablière à bouleau jaune, la forêt mixte, la forêt coniférienne et les forêts tourbeuses.

⚜ Au sud de la baie d'Hudson et du Labrador.

≠ De par sa taille et son allure générale, la smilacine trifoliée *(Smilacina trifolia)* ressemble au maïanthème. Elle ne croît généralement que dans la sphaigne des tourbières ou des forêts tourbeuses. Cette plante, d'un vert bleu, a des feuilles allongées nullement en forme de coeur et des fleurs plus grandes que celles du maïanthème; les pousses stériles comptent deux feuilles et les fertiles, ordinairement 3-4.

On rencontre plus fréquemment chez le maïanthème des individus sans tige ni fleurs, formés d'une seule feuille large; ils façonnent souvent des tapis continus dans nos forêts. Les petits mammifères se nourrissent des fruits mûrs avant l'hiver. La famille du lis, à laquelle appartient le maïanthème est abondamment représentée dans nos forêts au printemps: trilles (pp. 41, 105), érythrone (p. 127), clintonie (p. 133), ail des bois (p. 149), smilacines (p. 63). Cette famille, comme celles de l'iris (p. 91) ou de l'avoine, fait partie du groupe des monocotylédones: plantes à nervures parallèles et à fleurs dont les parties sont groupées par 3 ou multiples de 3.

✗ Les baies sont comestibles mais purgatives; utiliser modérément.

Salsepareille

Aralia nudicaulis Linnaeus
Aralie à tige nue, chassepareille, sassepareille.
Wild sarsaparilla. *American or virginian sarsparilla, rabbit's food, smal spikeweed, spikenard, sweetroot.*

Araliaceae: famille de l'aralie; *ginseng family.*

< Dérivé du nom français aralie, donné par Michel Sarrazin, médecin en Nouvelle-France (1685-1734), qui l'a découverte au Québec; *nudicaulis:* à tige nue.

❖ Plante vivace (haut. 20-45 cm) à rhizome; le support de la feuille et celui de l'inflorescence naissent d'un même point au niveau du sol. Une seule grande feuille en 3 parties elles-mêmes découpées et finement dentées. Inflorescence dissimulée sous la feuille et composée de fleurs minuscules regroupées en 3 ombelles sphériques. Fruits rouge vin, presque noirs, petits et charnus.

↘ Espèce forestière, fréquente et abondante. Se plaît particulièrement dans les forêts mixtes et certaines forêts coniériennes (sapinières); se rencontre aussi dans les érablières à bouleau jaune et laurentienne.

⚜ Au sud de la baie James et du Labrador.

Les noms français et anglais viennent de l'espagnol *zarza:* buisson, et *parilla:* petite vigne. En France, le nom salsepareille désigne une liliacée: *Smilax sarsaparilla.* On tirait autrefois du rhizome une substance dont on frictionnait les pattes des chevaux fatigués.

✕ Les fruits sont comestibles; leur goût rappelle celui du genévrier. Durant leurs expéditions, les Amérindiens en mangeaient pour survivre. Le rhizome entrait dans la fabrication de la «root beer»; il constitue un ingrédient de bière-maison.

✿ Du rhizome séché on fait une infusion stimulante (1 c. thé/t.); c'est aussi un sudorifique qui purifie le sang, mais il peut être vomitif. Écrasé à l'état frais, on en prépare un cataplasme qui réduit l'enflure, guérit les infections et les maladies de peau.

79

Tiarelle

Tiarella cordifolia Linnaeus
Tiarelle cordifoliée ou à feuilles cordées.
Coolwort. *False miter- or mitre-wort, foamflower,*
gem-fruit, *white coolwort.*

Saxifragaceae: famille du groseiller; *saxifrage family.*

< Diminutif de *tiara:* tiare, faisant allusion à la forme
du pistil et du fruit; *cordifolia:* à feuille en forme de coeur (cordée).

♣ Plante vivace (haut. jusqu'à 30 cm). Feuilles semblables à celles de l'érable mais à lobes moins profonds, rassemblées à la base de la plante et garnies de longs poils dispersés. Fleurs (diam. 6 mm) blanches, formant une grappe au
sommet d'une longue «tige» poilue. Fruits secs en forme de tiare.

↴ Généralement dans les endroits frais des érablières et des forêts mixtes.

⚜ Vallée du Saint-Laurent jusqu'à Baie-Saint-Paul
et Saint-Jean-Port-Joli, Outaouais et sud des Laurentides, Estrie
et Beauce.

≠ Par son' allure générale, elle ressemble beaucoup
aux mitrelles *(Mitella diphylla* et *M. nuda)* dont les fleurs, à pétales finement découpés, ressemblent à des flocons de neige et
sont rassemblées en grappe plus lâche, plus allongée.

⚕ C'est un tonique et un diurétique qui corrige l'acidité et aide au fonctionnement du foie; infuser ou faire bouillir
une poignée de la plante par 2-3 t. d'eau, prendre ½ tasse
à la fois, 2-3 fois par jour.

Actée rouge

Actaea rubra (Aiton) Willdenow
Pain ou poison de couleuvre.
Red Baneberry. *Bane-, necklace- or snake-berry.*

Ranunculaceae: famille du bouton d'or; *buttercup family.*

< *Actaea:* ancien nom du sureau *(acte):* les baies noires et luisantes de ces espèces se ressemblent; *rubra:* rouge.

Plante vivace à tige lisse (haut. 30-40 cm). Feuilles à longues queues, sauf celles du haut; toutes en 3 parties elles-mêmes découpées et dentées. Fleurs blanches, petites, réunies en grappe (long. 3-6 cm) au bout de la tige; sépales

▼ Actée à gros pédicelles *(Actaea pachypoda)*

semblables aux pétales, mais se détachant tôt de la fleur. Fruits rouges et charnus, à queues grêles et vertes.

↴ Généralement dans tous les types d'érablières, dans la frênaie à orme, et parfois dans les forêts mixtes.

⚜ Au nord, jusqu'à la limite des arbres, on le retrouve sur les berges des rivières, dans les groupements arbustifs (saulaie, aulnaie).

≠ Une espèce voisine, parfois considérée comme une simple variété, présente des fruits blancs: l'actée blanche *(A. alba)*. Une troisième espèce présente une grappe de fleurs plus allongée, des fruits blancs et de gros pédicelles rouges: actée à gros pédicelles *(A. pachypoda)*.

L'association du nom à celui de la couleuvre, animal tabou, rehausse l'idée de toxicité, sans que la plante soit nécessairement un poison pour les couleuvres.

✗ Les fruits sont toxiques.

⚗ La racine est un violent purgatif et un vomitif.

les plantes herbacées
à fleurs bleues

Violette du canada

Viola canadensis Linnaeus
Canada violet. American sweet violet, hens, june-flower, tall-white violet.

Violaceae: famille de la violette; *violet family.*

< *Viola:* nom latin classique; *canadense:* du Canada.

Petite plante (5-20 cm). Tige fragile portant plusieurs feuilles dentées, en forme de coeur et terminées en une longue pointe. Fleurs (diam. 2 cm) à 5 pétales blancs tachés de jaune à la base et violacés sur le revers.

Dans les érablières riches: érablières à caryers et laurentienne, à l'occasion dans l'érablière à bouleau jaune.

Fréquente surtout dans la région de Montréal, de l'Outaouais et de l'Estrie, la Beauce et la vallée du Saint-Laurent au niveau de la ville de Québec.

Les feuilles et les boutons floraux sont comestibles et de saveur maximale au printemps; ils se mangent en salade, en soupe ou cuits comme légumes; on peut aussi boire une infusion des feuilles. Un sirop de violettes s'obtient en faisant cuire une partie (en poids) de fleurs fraîches dans 5 parties de sucre et 2½ d'eau; il sert entre autres à colorer des bonbons. Les fleurs sont parfois confites et mangées comme friandises. On fabrique du vinaigre de violettes en faisant macérer une bonne quantité de fleurs dans du vinaigre blanc.

La violette du canada est la plus employée pour ses propriétés médicinales, mais les autres espèces ont plus ou moins les mêmes effets. Toute la plante est calmante dans le cas de toux, rhumes, bronchites, etc. en plus d'être sudorifique et diurétique. La racine est vomitive, à forte dose, mais elle est plus riche en matière médicamenteuse. Les fleurs combattent le rhumatisme, l'eczéma et les maladies de peau; on les utilise sous forme de décoction refroidie: ½ c. thé de fleurs ou de feuilles en poudre par t. d'eau, faire bouillir 15 minutes. On l'utilise comme purgatif: prendre 2 c. tab. de jus de feuilles. Le sirop de violettes calme la toux et mêlé à de l'huile d'amande, il constitue également un laxatif doux. Des traitements aux feuilles de violettes auraient déjà guéri divers types de cancers.

Violettes

Viola Linnaeus
Violet.

Violaceae: famille de la violette; *violet family*.

< *Viola:* nom latin classique.

❀ ❀ Petites plantes (5-20 cm) à rhizome. Deux grands groupes de violettes: celles sans tige aérienne (acaules: les feuilles sortent directement du sol) et celles pourvues de tige (caulescentes: les feuilles sont portées sur la tige).

Violette septentrionale *(V. septentrionalis)*

Feuilles poilues ou non, en forme de coeur ou de rein. Fleurs petites et de différentes couleurs selon les espèces (blanches, jaunes, bleues ou violettes). Certaines poussent en touffes denses, d'autres isolément; elles fleurissent tôt le printemps, et l'été il ne reste que les feuilles qui passent souvent inaperçues aux yeux des promeneurs non avertis.

Violette pubescente *(V. pubescens)*

↳ Selon les espèces, les violettes se trouvent dans les habitats les plus divers depuis les tourbières jusqu'aux dunes en passant par divers types de forêts, les rochers, les pâturages, etc . . .

⚜ Certaines espèces, par exemple *V. affinis, V. fimbriatula, V. rostrata, V. rotundifolia, V. sagittata,* sont confinées à quelques localités du sud-ouest de la province (région de Montréal, de l'Outaouais et de l'Estrie). Par contre, on trouvera d'autres espèces de violettes partout au Québec, même au-delà de la limite des arbres *(V. conspersa, V. pallens).*

La violette a longtemps été le symbole des bonapartistes et de Napoléon qu'on surnommait «le capitaine violette»; c'est aussi la fleur de la mort infantile. Les pensées cultivées constituent des variétés d'une espèce européenne *Viola tricolor,* dont on trouve souvent des individus échappés de culture.

✂ Les feuilles et les boutons floraux sont comestibles et de saveur maximale au printemps; ils se mangent en salade, en soupe ou cuits comme légumes; on peut aussi boire une infusion des feuilles. Un sirop de violettes s'obtient en faisant cuire une partie (en poids) de fleurs fraîches dans 5 parties de sucre et 2½ d'eau; il sert entre autres à colorer des bonbons. Les fleurs sont parfois confites et mangées comme friandises. On fabrique du vinaigre de violettes en faisant macérer une bonne quantité de fleurs dans du vinaigre blanc.

☙ La violette du canada est la plus employée pour ses propriétés médicinales, mais les autres espèces ont plus ou moins les mêmes effets. Toute la plante est calmante dans le cas de toux, rhumes, bronchites, etc. en plus d'être sudorifique et diurétique. La racine est vomitive, à forte dose, mais elle est plus riche en matière médicamenteuse. Les fleurs combattent le rhumatisme, l'eczéma et les maladies de peau; on les utilise sous forme de décoction refroidie: ½ c. thé de fleurs ou de feuilles en poudre par t. d'eau, faire bouillir 15 minutes. On l'utilise comme purgatif: prendre 2 c. tab. de jus de feuilles. Le sirop de violettes calme la toux et mêlé à de l'huile d'amande, il constitue également un laxatif doux. Des traitements aux feuilles de violettes auraient déjà guéri divers types de cancers.

Iris versicolore

Iris versicolor Linnaeus
Claies, clajeux, fleur de lis, lis.
Larger blue flag. American fleur-de-lis, dragon or
dagger flower, flag-, liver- or snake-lily, marsh or wild
iris, poison or water flag.

Iridaceae: famille de l'iris; *iris family.*

< De *Iris:* messagère des dieux, déesse de l'arc-en-
ciel, allusion aux nombreuses couleurs des fleurs; *versicolor:*
diversement coloré.

♣ Grande plante vivace à rhizome (haut. 60-90 cm).
Feuilles très longues, étroites et rigides. Fleurs en nombre variable, très grandes (diam. 8-10 cm); pétales et sépales bleu-violet
rayé de jaune, de vert et de blanc; sépales 2 fois plus longs
que les pétales et élargis à leur extrémité.

⌐ Lieux humides, particulièrement les endroits
vaseux ou tourbeux: fossés, rivages, prairies littorales, certains
marécages ou bordures de tourbières. Également dans quelques
forêts humides: aulnaie, sapinière à cèdre, frênaie à orme et
peupleraie à peuplier baumier.

⚜ Au sud de la ligne joignant la baie d'Hudson au
Labrador (Goose Bay).

≠ Sur les rives du golfe et de l'estuaire du Saint-
Laurent jusqu'au nord de Québec, on rencontre une seconde
espèce, *Iris setosa,* se distinguant par ses feuilles plus étroites
et ses pétales beaucoup plus courts et de forme différente.

Comme emblème des rois de France, la fleur de lis paraît pour
la première fois, dit-on, sur le sceptre de Charles le Chauve
vers l'an 840. Une interprétation veut qu'elle soit la stylisation de
l'*Iris pseudacorus* (iris jaune), dont l'une des appellations populaires aurait été «fleur de lys». Abondante sur les bords de la
Lys, rivière de Belgique, cette plante aurait inspiré leur symbole
aux Francs quittant les Flandres en 486 pour envahir la Gaule
et fonder le royaume de France. La fleur a été proposée comme
emblème du Québec mais elle a été mise de côté au profit du
lis blanc qui croît dans la région méditerranéenne!!! Le nom clajeux
semble dériver de glaïeul, plante de la même famille et désigne

également l'iris jaune européen. On peut utiliser les feuilles pour la fabrication de tapis et de paniers; l'infusion des fleurs pourrait remplacer la teinture de tournesol pour mesurer l'acidité des liquides.

✄ L'iris est toxique lorsqu'on l'absorbe en grande quantité; son rhizome a un goût fort désagréable et une mauvaise odeur. Avant qu'il soit en fleurs, il ne faut pas le confondre avec la belle-angélique *(Acorus calamus)* qui lui ressemble mais dont le rhizome est très odoriférant; les Abénaquis regroupent ces deux plantes dans le même genre.

⚗ Le rhizome récolté à l'automne, séché et pulvérisé est un ingrédient de poudre dentifrice; son infusion est un purgatif efficace et un diurétique bénéfique pour le foie et les reins. Infuser ½ c. thé par t. d'eau, prendre 2-3 c. tab. à la fois, jusqu'à 6 fois par jour; utiliser aussi en teinture 1-2 gouttes à la fois. Vomitif à forte dose.

Bermudienne

Sisyrinchium bermudiana Linnaeus
(syn. *S. angustifolium* Miller)
Blue-eyed grass. *Blue-eyed mary, grass-flower, pigroot, star-eyed or blue grass.*

Iridaceae: famille de l'iris; *iris family.*

< Nom donné par Théophraste à une autre plante; venant de *sisurigkhion* dérivé de *sus:* porc et *rugkhos:* groin, allusion au fait que les racines sont recherchées par les porcs; *bermudiana:* des Bermudes.

♣ Plante délicate (haut. 20-30 cm) croissant généralement en touffes. Tige et feuilles semblables à des brins d'herbe. Fleurs bleues ou violettes, à centre jaune, pétales et sépales munis d'une courte pointe. Fruits secs, petits, presque ronds.

↓ Dans les champs et autres endroits ouverts, en bordure des routes.

C'est surtout en Amérique du Sud, dans les Andes, que croissent les bermudiennes; on en connaît près de 150 espèces, toutes d'origine américaine. La famille à laquelle elles appartiennent compte aussi les iris; elle s'apparente à la famille des lis et à celle des jonquilles. L'espèce qui nous intéresse a d'abord été nommée *S. bermudiana* L., et à l'époque, Tournefort, l'éminent botaniste de Montpellier (1656-1708), avait même créé le genre *Bermudiana*. Plus tard on l'a désignée sous le nom de *S. angustifolium* Miller et voilà que récemment on revenait à l'ancien nom de la première espèce décrite par Linné qui assimilait la nôtre à une espèce des Bermudes. Ainsi, en dépit des règles et des précautions qu'on peut prendre, il arrive régulièrement qu'une espèce végétale change deux ou trois fois de nom latin, même après la codification proposée par Linné pour la nomenclature biologique . . . cela pose de véritables casse-tête chinois. La bermudienne est une fort jolie plante cultivée depuis très longtemps mais qui passe facilement inaperçue lorsque l'herbe est haute.

⚗ Les racines sont purgatives.

Houstonie

Houstonia caerulea Linnaeus
Innocence. *Angel-eyes, blue-eyed-grass or-babies, bluets, bright eyes, eyebright, houstonia, little washer-women, nuns, quaker-bonnets or- ladies, star-of-bethlehem, venus-pride, wild forget-me-not.*

Rubiaceae: famille du gaillet; *madder family.*

< *Houstonia:* genre dédié à William Houston, botaniste du 18e siècle; *caerulea:* bleue.

Petite plante (haut. 5-15 cm), croissant en touffes denses. Feuilles minuscules, opposées. Fleur à 4 pétales, bleue ou blanche, à centre jaune, portée au sommet d'une tige grêle.

Préfère les lieux ensoleillés: champs, rives sablonneuses ou rocheuses, bordures des routes, parfois même dans les tourbières.

Espèce appalachienne fréquente surtout dans l'Estrie. Sa limite nordique se situerait à la hauteur de Québec; sa présence n'a pas été rapportée ailleurs sur la rive nord, si ce n'est en bordure de l'autoroute Montréal-Québec.

Les coussins formés par cette plante délicate suggèrent de légers et minuscules nuages flottant au ras des prairies. Comme il vient d'être dit, sauf en un endroit près de Québec, on ne rapporte actuellement sa présence, sur la rive nord, qu'en bordure d'une autoroute; ce fait permet de supposer que les pelouses de ces dernières constituent de nouvelles voies de pénétration pour cette espèce . . . serait-ce qu'elle vient avec les bandes de gazon ou que le milieu lui est favorable? On connaît plusieurs cas où les moyens de transports (au sens large) ont contribué à la dispersion d'espèces végétales; c'est ainsi que les ballasts de chemin de fer, les bordures des routes ou des sentiers et les ports recèlent une flore particulière. La famille du gaillet regroupe surtout des plantes tropicales, dont le café et le quinquina qui produit la quinine.

Myosotis

Myosotis Linnaeus
Ne m'oubliez pas, plus-je-te-vois-plus-je-t'aime.
Forget-me-not. Scorpion-grass.

Boraginaceae: famille du myosotis; *borage family.*

< De *myos:* d'une souris et *ous:* oreille, allusion à la forme et à la texture des feuilles de certaines espèces.

❁ Plante pouvant atteindre 45 cm, velue dans toutes ses parties. Feuilles alternes, allongées et sans dents, à bout arrondi. Fleurs (diam. .6-1 cm) bleues ou blanches à centre jaune, à 5 pétales; extrémités de la tige fortement arquée, presque enroulée, portant les fleurs d'un seul côté. Certaines espèces fleurissent au printemps, d'autres en été.

↳ Les myosotis occupent divers habitats; on les rencontre souvent dans les lieux humides, soit en forêt, le long des rivières et des fossés, mais également en terrains plus secs.

Le nom populaire s'expliquerait par une légende chrétienne: le Créateur, se promenant dans le Jardin d'Eden et donnant un nom à chaque fleur, se fit demander par une petite plante quel nom il lui avait donné. Comme il l'avait oubliée, il la nomma «ne m'oubliez pas» (forget-me-not). Elle est devenue le symbole du souvenir et de l'amour fidèle. C'est sans doute l'inflorescence recourbée en queue de scorpion qui a inspiré le nom anglais de *scorpion-grass*. La famille du myosotis se caractérise par l'abondance remarquable de poils, souvent piquants, sur les différentes parties des plantes.

Lierre terrestre

Glecoma hederacea Linnaeus
Cataire, chataire ou glécome ou népète faux lierre,
herbe de saint-jean, rondette.
Ground ivy. *Ale- or tun-hoof, crow-vituals, field balm,
gill-ale or -go-by-the-ground, hayhofe, hay- or hedge-
maids, hove robin-run-away.*

Labiatae: famille de la menthe; *mint family.*

< De *glechon:* nom d'une plante aromatique de la
même famille signifiant doux et odorant; *hederacea:* semblable
au lierre cultivé (*Hedera* en latin).

Petite plante rampante (haut. 3-18 cm), à tige
carrée. Feuilles opposées, circulaires (diam. 1-4 cm), à dents
larges et arrondies, violacées au moment de la floraison. Fleurs
petites, violet clair, groupées à la base des feuilles sur des tiges
redressées.

Souvent autour des jardins et des habitations ou
en bordure des routes.

Endroits habités le long du Saint-Laurent et de
ses affluents, également en Gaspésie. Non signalée au nord
d'Amos, de Rivière-Bersimis et de Forillon.

La famille compte plusieurs autres plantes aromatiques: la menthe,
le thym, la sarriette, dont les feuilles pourvues de glandes sécrètent
des huiles à odeur forte. Autrefois, le lierre terrestre remplaçait le
houblon pour aromatiser, clarifier et conserver la bière. On appelait
gill-house les maisons où se vendait cette bière, le *gill-ale.*

Le thé est agréable au goût mais huileux.

Le jus frais s'applique sur un oeil au beurre noir; si
on le respire, il est censé guérir les maux de tête réfractaires aux
autres remèdes. Réduite en poudre et aspirée par le nez, la plante
en arrête les saignements; elle soulage aussi les migraines. On
l'emploie en infusion contre le rhume et l'asthme pour dégager les
voies respiratoires, contre la toux rebelle, la faiblesse des organes
digestifs et la diarrhée: 1 c. thé par t. d'eau ou de lait. L'huile
s'emploie en compresses sur les plaies et les ulcères et en enveloppement contre la bronchite: faire macérer, dans un bocal en verre
placé au soleil, une dizaine de poignées de la plante dans 4 t.
d'huile d'olive pendant 1 mois, agiter de temps à autre, filtrer.

les plantes herbacées
à fleurs roses, rouges ou brunes

Trille rouge

Trillium erectum Linnaeus
Trille à fleur rouge, trille dressé.
Red trillium. *Red or stinking benjamin, birth or squaw root, squawflower, ill-scented or purple or wet-dog trillium, wakerobin.*

Liliaceae: famille du lis; *lily family.*

< De *tres:* trois, allusion à la disposition par trois des parties de la plante; *erectum:* dressé.

Plante vivace (haut. 20-45 cm) à rhizome. Feuilles évasées à la base, terminées en pointe et rassemblées par 3. Fleur grande, solitaire, à 3 pétales rouge foncé. Fruit charnu, pourpre. La plante présente souvent des anomalies: pétales verdâtres, jaune pâle ou blanc crème, dépassant éventuellement le nombre habituel de 3.

Principalement dans tous les types d'érablières mais aussi dans les forêts mixtes, les tremblaies et la frênaie à orme.

Abondant dans l'Outaouais, les basses terres du Saint-Laurent, les Appalaches; aussi au Saguenay-Lac-Saint-Jean et en Gaspésie.

≠ Le trille rouge se distingue facilement des autres trilles par son port robuste, la forme de ses feuilles, son fruit porté au-dessus des feuilles et de teinte voisine de celle des pétales.

La fleur dégage une mauvaise odeur, d'où les noms populaires anglais. En abénaquis, elle se nomme *dzidziz,* c'est-à-dire bébé, parce qu'elle est employée contre toutes les maladies de bébé.

X Voir trille ondulé (p. 43).

Usage externe: une infusion de rhizome avec des fleurs de mélilot blanc donne une lotion efficace contre les boutons du visage. Respirer ce rhizome fraîchement brisé arrête un saignement de nez. Les feuilles bouillies s'emploient en cataplasme sur les ulcérations de la peau. Usage interne: plus délicat. La poudre du rhizome, astringent des organes utérins, était utilisée pour aider les accouchements. Il est employé contre les menstruations abondantes, les hémorragies internes et les troubles pulmonaires: verser 1 t. d'eau bouillante sur 1 c. thé de poudre, prendre ½ t. ou plus. On l'emploie à l'état frais, bouilli dans du lait, contre la diarrhée.

Ancolie du canada

Aquilegia canadensis Linnaeus
Colombine, gants de notre-dame.
Wild columbine. *Bells, canada columbine, cluckies, honeysuckle, jack-in-trousers, meeting-houses, mouse-ears, rock-bells or -lily.*

Ranunculaceae: famille du bouton d'or; *buttercup family.*

< De *aquila:* aigle, les éperons de la fleur ressemblant à des serres d'aigle, ou de *aqua:* eau et *legere:* recueillir, allusion aux gouttes de nectar contenues dans les éperons; *canadensis:* du Canada.

Plante vivace à tige fragile (30-60 cm). Feuilles minces, à divisions profondes. Fleurs pendantes, spectaculaires: 5 pétales, rouge vif à l'extérieur et jaune clair à l'intérieur, prolongés en éperons presque droits ressemblant à des doigts.

Surtout sur les rochers, dans les forêts feuillues mais aussi sur les falaises et les talus d'éboulis.

Dans les basses terres du Saint-Laurent et exceptionnellement plus au nord (Rimouski).

≠ On trouvera également, échappée de jardin, l'ancolie vulgaire *(A. vulgaris)* appelée aussi gants de notre-dame, dont les fleurs blanches, bleues ou pourpres possèdent des éperons fortement recourbés.

L'ancolie est le symbole de la tristesse. Le nectar attire les oiseaux-mouches et certains insectes qui percent, de l'extérieur, la pointe des éperons.

Les tiges et les feuilles de l'espèce cultivée sont antiscorbutiques, diurétiques tandis que les graines sont sudorifiques.

Sabot de la vierge

Cypripedium acaule Aiton
Cypripède acaule, sabot de vénus.
Stemless lady's slipper. *Common or two-leaved lady's slipper, mocassin-flower, nerve-root, squirrel's shoe, whip-poor-will's shoe.*

Orchidaceae: famille de l'orchidée; *orchis family.*

< De *Cypris:* nom de Vénus et *pedilon:* soulier; *acaule:* sans tige.

Plante vivace (haut. 30-45 cm) à rhizome. Deux grandes feuilles (long. 15-20 cm) sans queue, à la base de la plante. Fleur rose, parfois blanche, spectaculaire (diam. 8-10 cm) à 3 sépales et 3 pétales dont celui du milieu gonflé en sac (labelle). Gros fruit en forme de fuseau.

Dans une grande variété d'habitats généralement acides, qu'ils soient secs ou humides, éclairés ou ombragés: lieux sablonneux ou tourbeux, clairières ou bois de conifères, rochers, etc...

Le sud jusqu'à la baie James et sur la Côte-Nord jusqu'à Natashquan.

≠ Lorsque le fruit est disparu, il est facile de confondre les feuilles de la base avec celles de l'habénaire à feuilles orbiculaires *(Habenaria orbiculata)* qui sont cependant plus étalées sur le sol. D'autre part, on connaît au Québec au moins 3 autres cypripèdes. Une espèce à fleur jaune, à peu près de la taille du sabot de la vierge mais croissant sur un sol calcaire: le cypripède jaune ou sabot jaune *(C. calceolus);* une grande espèce (40-80 cm) à fleurs blanches et rouges: le cypripède royal *(C. reginae)* et une espèce à petite fleur blanche veinée de rouge vin, rare au Québec: le cypripède tête-de-bélier *(C. arietinum).*

La plante symbolise la beauté capricieuse. Elle entre dans la fabrication d'un philtre d'amour chez certaines tribus amérindiennes. Chez les Abénaquis la plante s'appelle «petite poche»; le nom sabot de la vierge est une christianisation de sabot de vénus. Les orchidacées produisent des graines innombrables mais minuscules, facilement dispersées par le vent. Si on les rencontre de façon sporadique, c'est vraisemblablement que la germination exige, dans le sol, la présence d'un champignon qui s'associe aux racines embryonnaires pour leur permettre d'absorber certaines substances.

Streptope rose

Streptopus roseus Michaux
Rognons-de-coq.
Pink streptopus. *Liver-berry, rose mandarin, rose twisted stalk, scoot-berries.*

Liliaceae: famille du lis; *lily family*.

< De *streptos:* tordu, et *pous:* tige; *roseus:* rose.

♣ Plante vivace (haut. 30-60 cm) à rhizome. Tige faible et arquée, souvent ramifiée vers le milieu. Feuilles nombreuses, alternes et sans queue, largement étalées, à nervures parallèles prononcées. Fleurs roses, semblables à des cloches, pendantes, cachées à la base de chaque feuille. Fruits rouges, ronds et charnus.

↴ Généralement dans les bois frais. Très fréquent dans l'érablière à bouleau jaune et les forêts mixtes; occasionnellement dans l'érablière laurentienne et la frênaie à orme.

⚜ Au sud d'une ligne tirée de la baie James au Labrador.

≠ Le streptope porte des cils sur le pourtour des feuilles, ce qui le distingue de 2 autres espèces qui ont la même allure: le sceau-de-salomon (*Polygonatum pubescens,* p. 61) de couleur vert-bleu, plus gracieux et portant des poils sur la face inférieure des feuilles, et la smilacine à grappes *(Smilacina racemosa,* p. 63) plus grande et plus robuste.

✕ Les fruits, quoique fades, sont comestibles mais purgatifs, d'où le nom anglais *scoot-berries*.

Gingembre sauvage

Asarum canadense Linnaeus
Asaret du canada, asarette, snicroûte.
Wild ginger. Asarabacca, canada-, southern- or vermont-snakeroot, cat- or colts-foot, colic-root, indian ginger.

Aristolochiaceae: famille du gingembre sauvage; *birthwort family.*

< De *a:* ne pas, et *sairo:* je décore, ou de *asaron:* déplaisant, les fleurs n'étant pas assez belles pour servir en ornementation; *canadense:* du Canada.

Plante vivace à rhizome vert, courant en surface ou peu profondément enfoui. Deux feuilles veloutées, en forme de coeur ou de rein (long. 10-18 cm) et naissant directement du rhizome. Fleur d'un pourpre brunâtre, cachée à la base des feuilles au niveau du sol.

Dans les érablières les plus riches: à caryers, laurentienne; sur les rives calcaires de certaines rivières de Gaspésie.

Assez fréquent dans les basses terres du Saint-Laurent, particulièrement dans la région de Montréal et de l'Outaouais. En Gaspésie: vallées de certaines rivières de la baie des Chaleurs.

C'est une fleur printanière peu voyante. Les Amérindiens employaient le rhizome comme condiment. Les Iroquois s'en servaient contre les convulsions et la fièvre infantile et les Abénaquis le faisaient bouillir avec la savoyane pour soigner le rhume. Il contient un antibiotique et une huile aromatique employée en parfumerie.

Le rhizome a la saveur et les propriétés du gingembre importé; on le mange cru ou séché et pulvérisé. On en confectionne une friandise: faire bouillir jusqu'à ce qu'il soit tendre, cuire dans un sirop concentré, retirer du sirop et laisser cristalliser sur un papier ciré. Le sirop de la cuisson est délicieux notamment avec de la crème glacée.

Le rhizome se récolte au printemps. On en prépare une teinture ou une infusion à raison de 1 c. thé par 2½ t. d'eau. Une demi-tasse d'infusion ou 5-10 gouttes de teinture soulage les maux d'estomac, agit comme diurétique, contre la coqueluche et les maladies de poitrine chroniques; à plus forte dose, il est sudorifique. Absorbées, les feuilles en poudre sont vomitives; aspirées par le nez, elles font éternuer.

Benoîte des ruisseaux

Geum rivale·Linnaeus
Benoîte pourpre.
Water avens. *Chocolate-root, cure-all, drooping-,
nodding- or purple-avens, indian chocolate, water-
flower.*

Rosaceae: famille de la rose; *rose family.*

< *Geum:* signifie «je donne bon goût», par allusion
à la racine aromatique de certaines espèces; *rivale:* en bordure
des ruisseaux.

♣ Plante vivace (haut. 30-60 cm). Feuilles profondément découpées en lobes irréguliers, celui du sommet plus grand
et arrondi. Fleurs à sépales pourpres et à pétales crème, pendantes au sommet de la tige. Fruits secs terminés par une longue
pointe en forme de faucille, groupés en sphère.

↓ Lieux humides des forêts, en bordure des ruisseaux et même dans certains marécages et tourbières.

⚜ Vraisemblablement jusqu'à la limite des arbres
mais plus fréquent au sud, surtout dans les basses terres du
Saint-Laurent et dans les Appalaches jusqu'en Gaspésie.

≠ Les autres espèces de benoîtes du Québec ont
des feuilles semblables et la même allure générale. Leurs fleurs
sont cependant jaunes ou blanches et moins spectaculaires.

Le nom français benoîte est l'ancien féminin du participe passé
de bénir, la plante étant bénite parce qu'on attribuait autrefois
à l'espèce européenne *G. urbanum* le pouvoir de chasser les
esprits et les bêtes venimeuses. Les Tête-de-Boule faisaient
bouillir le rhizome dans quatre eaux consécutives, la dernière
ayant la propriété de guérir les crachements de sang.

✕ Les Amérindiens du nord-est des États-Unis et
du Canada utilisaient une décoction du rhizome comme breuvage;
celui-ci ressemble au chocolat mais il est astringent.

⚕ On emploie le rhizome surtout contre la diarrhée
et les hémorragies. On le récolte au printemps et on l'infuse
durant 30 minutes à l'état frais ou séché: 1 c. thé par tasse; boire
l'infusion lorsqu'elle est refroidie à raison de ½ t. par dose; quantité maximale: 2 t. par jour.

115

Caulophylle faux-pigamon

Caulophyllum thalictroides (Linnaeus) Michaux
Graines à chapelet, léontice faux-pigamon.
Blue cohosh. *Blueberry, blueberry-, papoose- or squaw-root, blue or yellow ginseng, electric light bulb plant, leontice.*

Berberidaceae: famille de l'épine-vinette; *barberry family.*

< De *caulos:* tige et *phyllon:* feuille, la tige semblant former la queue de la feuille; *thalictroides:* ressemblant au pigamon (p. 35) ou *Thalictrum* en latin.

♋ Plante vivace (30-90 cm) à tige violacée au moment de la floraison. Feuilles très divisées, semblables à celles du pigamon (p. 119) mais d'un vert terne et bleuâtre, surtout lorsque jeunes. Fleurs petites et charnues, pourpres, vertes ou jaunes. Fruits (diam. 1 cm) parfaitement sphériques, d'un bleu mat.

⌐↓ Fréquent dans les érablières riches: à caryers et laurentienne; exceptionnellement dans l'érablière à bouleau jaune.

⚜ Basses terres du Saint-Laurent.

≠ Comme le nom de l'espèce l'indique, la plante, lorsqu'elle ne porte ni fleurs ni fruits, ressemble au pigamon (p. 119) surtout par la forme et la découpure des feuilles. La teinte bleuâtre ou violacée et l'aspect fané des jeunes plants permettent cependant une identification certaine.

✗ D'une part on dit que les feuilles et les graines sont toxiques et causent de fortes douleurs à l'estomac; d'autre part, on utilise les graines torréfiées (grillées) comme succédané du café. Il est probable que la torréfaction détruise les principes toxiques des graines.

⅌ Le rhizome séché stimule les contractions utérines pour faciliter l'accouchement et les menstruations, d'où les noms anglais de *papoose* et *squaw root*. On l'emploie aussi contre les rhumatismes et divers spasmes: hoquet, coliques, crampes. Absorber environ 1 t. par jour d'une infusion refroidie: 1 c. thé de rhizome par t. d'eau.

Pigamon dioïque

Thalictrum dioicum Linnaeus
Early meadow-rue. *Quicksilver-weed.*

Ranunculaceae: famille du bouton d'or; *buttercup family.*

< *Thalictrum:* nom donné à une plante dans l'antiquité; *dioicum:* dioïque, qui signifie que les deux sexes sont sur des individus différents.

☙ Plante vivace (30-60 cm) à grandes feuilles minces, finement découpées en segments à contours arrondis. Fleurs petites, pendantes, groupées au sommet de la tige. Fruits petits, secs.

⤵ Érablières riches et rocheuses.

⚜ Principalement dans les vallées de l'Outaouais et du Saint-Laurent jusqu'au cap Tourmente.

≠ Il se distingue des autres espèces de pigamon par sa petite taille, sa floraison très printanière et le vert tendre de son feuillage. Les feuilles de la caulophylle faux-pigamon (*Caulophyllum thalictroides* p. 117) et de l'ancolie du canada (*Aquilegia canadensis* p. 107) se rapprochent beaucoup de celles des pigamons. Les fleurs et les fruits de ces espèces sont cependant différents et très caractéristiques.

Comme son nom l'indique, ce pigamon est dioïque, c'est-à-dire que les fleurs sont unisexuées et que les individus sont soit femelles, soit mâles. Par opposition, il existe des plantes monoïques, à fleurs unisexuées, mais portées sur un même individu. C'est le cas du maïs: les fleurs mâles terminent les tiges et les fleurs femelles parvenues à maturité forment les épis de blé d'inde. Si la fleur porte à la fois des organes femelles et des organes mâles, elle est hermaphrodite (de *Hermaphroditos,* enfant de *Hermès* et d'*Aphrodite,* qui était à la fois mâle et femelle). On connaît aussi des polygames qui groupent sur le même individu des fleurs femelles, des fleurs mâles et des fleurs hermaphrodites.

Petit prêcheur

Arisaema atrorubens (Aiton) Blume
Arisema rouge foncé, oignon sauvage, pied de veau.
Jack-in-the-pulpit. *Indian turnip.*

Araceae: famille du petit prêcheur; *jack-in-the-pulpit family.*

< De *aris:* espèce du genre *Arum,* et *haima:* sang, d'après les feuilles tachetées de certaines espèces; *atrorubens:* rouge foncé.

Plante vivace (haut. 20-100 cm) à rhizome, portant généralement 2 feuilles à 3 lobes. Inflorescence entourée d'une enveloppe membraneuse (spathe), à rayures brunes et blanches, brusquement repliée comme un abat-voix au-dessus d'une chaire de prêcheur. Feuilles à dessous vert-bleu, pointant d'abord vers le haut puis s'étalant au-dessus de la spathe alors quelque peu camouflée.

Fréquent dans l'érablière laurentienne, abondant surtout dans les forêts humides bordant les cours d'eau (frênaie à orme, peupleraie à peuplier baumier, aulnaie); également dans l'érablière à bouleau jaune, surtout le long des ruisseaux en compagnie du frêne, et dans l'érablière rouge humide.

Basses terres du Saint-Laurent et, en partie, les Laurentides et les Appalaches. Le Saguenay-Lac-Saint-Jean marque vraisemblablement sa limite au nord.

On trouve aussi au Québec l'arisema de stewardson *(A. stewardsonii)* dont la spathe verte rayée de blanc a la partie tubulaire fortement ondulée et plus rarement, l'arisema dragon *(A. dracontium)* à feuille solitaire comptant 7-11 divisions.

Les Iroquois l'appelaient «berceau», la spathe repliée rappelant un porte-bébé amérindien. Le nom français «petit prêcheur» a été créé par une religieuse enseignante . . . traduction respectueuse du nom anglais.

Le rhizome à l'état frais a un goût brûlant, mais coupé en fines lamelles et séché pendant plusieurs semaines, il donne une farine agréable et nourrissante.

L'eau de trempage du rhizome haché est censée guérir les coliques et, par application externe, les desquamations de la peau.

Chou puant

Symplocarpus foetidus (Linnaeus) Nuttall
Symplocarpe fétide, tabac du diable.
Skunk cabbage. *Clumpfoot-, meadow- or swamp-cabbage, collard, devil's tobacco, pole-cat-, polk- or skunk-weed.*

Araceae: famille du petit prêcheur; *jack-in-the-pulpit family.*

< De *symploce:* réunion et *carpos:* fruit, allusion aux fruits resserrés sur le support; *foetidus:* à odeur désagréable.

⚘ Plante vivace à rhizome vertical. Feuilles ovales, très grandes (long. 30-60 cm), portées sur de longues queues et disposées en couronne. Fleurs petites, apparaissant bien avant les feuilles et resserrées sur un support commun. Inflorescence à l'intérieur d'une enveloppe épaisse (spathe). Cette spathe a l'aspect d'une corne ou d'un coquillage (haut. environ 15 cm), elle est vivement colorée du jaune au rouge, de teinte uniforme, tachetée ou rayée. Fruits nombreux formant une masse compacte.

↓ Généralement dans les bois tourbeux ou très humides, particulièrement dans les zones de débordement des cours d'eau (érablière argentée, frênaie à orme, aulnaie).

⚜ Dans l'Estrie et la vallée du Saint-Laurent jusqu'à Rivière-du-Loup. Selon certains, cette espèce « . . . semble éviter les formations acides du Bouclier canadien et demeure restreinte aux formations de nature calcaire».

Au début du printemps, la chaleur interne de la pousse peut faire fondre la neige autour d'elle. Toutes les parties de la plante dégagent une odeur de charogne si on les brise. À l'automne, on voit souvent poindre sous l'aspect d'une corne luisante, le gros bourgeon du printemps suivant.

✕ Comme plusieurs représentants de sa famille (petit prêcheur, *Dieffenbachia:* plante ornementale répandue), le chou puant renferme des cristaux d'oxalate de calcium qui brûle les muqueuses de la bouche; il faut donc prendre certaines précautions avant de le manger. Les jeunes feuilles encore enroulées se mangent cuites dans deux eaux ou plus, si nécessaire; on peut aussi les faire sécher et les utiliser déshydratées. Le chou puant mérite son nom ... il empeste même en cuisant. La racine comestible se prépare comme celle du petit prêcheur (p. 121) et elle n'intéresse que les amateurs très patients.

Le chou puant est connu sous le nom de *Dracontium* dans la pharmacopée. On récolte le rhizome à l'automne ou très tôt au printemps. On le fait sécher pour ensuite l'utiliser sous forme de poudre; mieux vaut le pulvériser juste avant l'usage car il perd rapidement ses propriétés. Un peu narcotique, il agit contre l'asthme, la coqueluche, la bronchite, le rhumatisme chronique et diverses maladies nerveuses: soit en poudre: 1 c. thé par jour: sous forme de décotion ou mêlée à du miel; soit en teinture préparée avec le rhizome frais: environ 10 gouttes. La dose excessive provoque des nausées, des maux de tête et des troubles de la vue. Les graines, aux propriétés plus durables, peuvent aussi être employées. En usage externe, la poudre de rhizome ou les feuilles servent à calmer la douleur.

les plantes herbacées
à fleurs jaunes

Erythrone d'amérique

Erythronium americanum Ker-Glawler
Ail doux ou douce, langue de serpent.
Dog's tooth violet. *Adder's leaf, deer's-, yellow adder's-or serpent's-tongue, fawn or trout lily, yellow-snakeroot or- snowdrop.*

Liliaceae: famille du lis; *lily family.*

< De *erythros:* rouge, allusion à une espèce européenne à fleurs pourpres *(E. dens-canis); americanum:* d'Amérique.

Plante (18-30 cm) à bulbe profondément enfoui (environ 15 cm). Deux feuilles luisantes, plus longues que larges et tachetées de brun, à la base de la plante. Une seule grande fleur inclinée vers le sol et portée par une longue queue charnue; 3 pétales et 3 sépales jaunes.

Tous les types d'érablières.

Abondant dans les limites de son habitat.

≠ Les fleurs ressemblent à celles de l'uvulaire (p. 129) mais l'allure générale de chacune des espèces permet de les différencier facilement. La feuille ressemble à celle de l'ail des bois (p. 149) mais elle n'a aucun goût d'ail.

Le nom populaire «langue de serpent» fait allusion à la forme des étamines fourchues. Selon les colonies, les fleurs auront des étamines pourpres (normales) ou jaunes (à pollen déformé). La plante est très répandue; au printemps, elle couvre entièrement le sous-bois des érablières. Les individus stériles, à une seule feuille, sont très abondants. Bien que la plante ne fleurisse qu'à sa cinquième année, le bulbe produit, dans l'intervalle, d'abondants rejetons. Toute la partie aérienne de l'érythrone disparaît avant l'été.

Au printemps, on mange les feuilles bouillies en guise de légume. Les bulbes comestibles sont nourrissants et sucrés, encore faut-il avoir la patience de les déterrer. Comme ils sont vomitifs à forte dose, il faut les manger en petite quantité.

La plante renferme une substance antibiotique. Les Amérindiens l'employaient contre les maux de poitrine. Les feuilles fraîches en cataplasme sur les enflures et les ulcères, accélèrent la cicatrisation.

Uvulaire à grandes fleurs

Uvularia grandiflora J.E. Smith
Uvulaire grandiflore.
Large-flowered bellwort. *Great merrybells, yellow bellwort.*

Liliaceae: famille du lis; *lily family.*

< *Uvularia:* de *uvula* dérivé de *uva:* luette, faisant allusion aux fleurs pendantes; *grandiflora:* à grandes fleurs.

❀ Plante vivace (haut. max. 75 cm), à l'aspect fané, formant des touffes. Tige arquée et ramifiée au sommet. Feuilles alternes, ovales et sans dents, poilues sur le revers dans le jeune âge et paraissant enfilées sur la tige. Fleurs (long. 3-5 cm) jaunes, pendantes.

↓ Caractérise les érablières riches: fréquente surtout dans l'érablière à caryers, à l'occasion dans l'érablière laurentienne.

⚜ On la trouve surtout dans l'Outaouais et la région montréalaise. Se rencontre également dans le sud des Laurentides, l'Estrie et dans la vallée du Saint-Laurent jusqu'à Québec.

≠ La forte taille de cette espèce, sa tige ramifiée et ses feuilles à base nettement traversée par la tige permettent de la distinguer aisément des autres liliacées à tige arquée (sceau-de-salomon, p. 61, smilacines, p. 63, streptopes, p. 111).

L'uvulaire à grandes fleurs est un ancien remède amérindien contre les morsures de serpents à sonnettes.

Uvulaire à feuilles sessiles

Uvularia sessilifolia Linnaeus
Sessile-leaved bellwort. *Little merrybells, small bellwort, straw-lilies, wild oats.*

Liliaceae: famille du lis; *lily family.*

< *Uvularia:* de *uvula* dérivé de *uva:* luette, faisant allusion aux fleurs pendantes; *sessilifolia:* à feuilles sans queue (sessiles).

Plante vivace à rhizome (haut. moyenne 20 cm). Tige ramifiée et arquée comme celle de l'uvulaire à grandes fleurs. Feuilles alternes et sans queue, pointues aux deux extrémités, d'un vert bleuâtre sur la face inférieure. Fleur en forme de cloche (long. 1-3 cm), d'un blanc crème, généralement solitaire, pendante à l'extrémité de la tige.

Dans les divers types d'érablières et certaines forêts humides (érablière rouge) mais de façon irrégulière.

Vallée du Saint-Laurent jusqu'à Baie Saint-Paul; Outaouais, Estrie et Beauce.

La plante est petite, sans poils, forme souvent des colonies étendues, ne porte qu'une fleur et un fruit proportionnellement gros (long. 1-3 cm), caractères qui distinguent l'espèce des autres liliacées à tige arquée. (pp. 61, 63, 111, 129).

Les jeunes pousses remplacent les asperges et le rhizome comestible est ajouté aux bouillis, aux soupes, etc.

131

Clintonie boréale

Clintonia borealis (Aiton) Rafinesque
Clintonie jaune, laitue (La Madeleine).
Northern clintonia. *Blue-bead, corn or straw lily, cow-tongue, dogberry, hat pin plant, yellow clintonia.*

Liliaceae: famille du lis; *lily family.*

Genre dédié à De Witt Clinton, naturaliste américain (1769-1828); *borealis:* du nord.

Plante vivace à rhizome. Deux à cinq feuilles toutes à la base (long. 13-20 cm) luisantes, larges, à nervures parallèles, semblables à celles du muguet. Fleurs jaune-verdâtre, en forme de cloche, par groupes de 3-8 au sommet d'une longue queue (10-25 cm) dépassant les feuilles. Fruits charnus, bleu foncé.

Espèce forestière très fréquente, surtout dans les bois humides et froids. Forêts feuillues (érablière à bouleau jaune et hêtraie), mixtes, conifériennes ou tourbeuses (cédrière tourbeuse et pessière noire à sphaigne).

Le sud jusqu'à la baie James et la rivière Churchill au Labrador.

D'après les chasseurs du Témiscamingue, l'odeur du rhizome attire les ours à de grandes distances; on en frottait les pièges tendus pour les capturer. D'autre part, les feuilles à l'état frais, broyées et appliquées sur le visage et les mains, éloignent les moustiques.

Les jeunes feuilles récoltées avant qu'elles ne se déroulent, se consomment en salade ou cuites comme légume. Les fruits ont la réputation d'être toxiques.

Médéole

Medeola virginiana Linnaeus
Concombre sauvage, jarnotte, médéole de virginie.
Indian cucumber-root

Liliaceae: famille du lis; *lily family.*

< De Médée, magicienne de la mythologie; *virginiana:* de Virginie.

♣ Plante à rhizome charnu, blanc. Tige (long. 30-90 cm) portant 2 étages de feuilles (2 verticilles). Fleurs (2-9) jaunes, pendantes sous le dernier verticille de feuilles. Fruits charnus, bleus.

↓ Espèce forestière. Fréquente surtout dans l'érablière à bouleau jaune; aussi: érablière laurentienne, forêts mixtes.

⚜ Basses terres du Saint-Laurent, sud des Laurentides, Beauce. Atteint le lac Saint-Jean et le comté de Bonaventure.

≠ Les spécimens stériles ne comportent qu'un étage de feuilles et ressemblent aux individus sans fleurs de trientale (p. 59) ou de quatre-temps (p. 53). Les quatre-temps stériles sont plus trapus, n'ont que 4 feuilles larges à nervures très prononcées. Les trientales, plus délicates, ont la base des feuilles rétrécies autant que la pointe et des nervures non parallèles.

Médée, à qui l'on a dédié cette plante, vivait paisible dans l'affection des siens lorsqu'elle tomba follement amoureuse de Jason. Renonçant à tout elle le suivit en Grèce, le sauvant de grands périls et lui redonnant son trône grâce à ses pouvoirs magiques et au prix de meurtres. Un jour, pour satisfaire son ambition, Jason voulut épouser une autre femme, oubliant tout sentiment amoureux à l'égard de Médée. Celle-ci se vengea en tuant ses propres enfants et la fiancée de Jason. Elle demeure le type de l'amoureuse passionnée. Jarnotte vient de l'ancien norvégien et signifie noix de terre. Les feuilles supérieures se colorent comme des pétales chez les individus qui portent des fruits; on retrouve des cas semblables de modification des feuilles, voisines cette fois des fleurs, chez les poinsettias de Noël et les cornouillers. On cultive le concombre sauvage sur un sol riche, à l'ombre; les tubercules divisés se plantent à une profondeur de 3-5 cm.

✗ Le rhizome est délicieux cru; il est croustillant comme le radis ou le concombre et d'un goût très fin. On peut le faire cuire dans l'eau comme des pommes de terre ou le mariner. Il est plus tendre au printemps.

Populage des marais

Caltha palustris Linnaeus
Souci d'eau.
Marsh marigold. Cowslip, king-cup, mare-, may- or water-blobs, palsy wort.

Ranunculaceae: famille du bouton d'or; *buttercup family.*

De *calathos:* corbeille, coupe; *palustris:* de *palus:* marais.

Plante charnue (30-60 cm) à tige creuse, croissant en colonies. Feuilles rondes, en forme de coeur ou de rein, grossièrement dentées et luisantes. Fleurs (diam. 3-4 cm) d'un jaune brillant, à 5-9 sépales ayant la forme et la coloration des pétales.

Lieux humides ouverts: rivages, marécages, pâturages, fossés, ruisseaux (même en sous-bois, particulièrement dans les aulnaies).

On le trouve jusque dans la région sud de la baie d'Hudson et sur la Côte-Nord à la frontière du Labrador.

Le nom «populage» serait dérivé de *populus:* peuplier, parce que dans d'autres régions, la plante croît dans les endroits humides, en compagnie des peupliers. Il existe un nombre incalculable de noms pour désigner cette plante (au moins 25 aux États-Unis). Les fleurs auraient été utilisées autrefois, en France, pour colorer le beurre.

Les jeunes boutons floraux trempés une nuit dans l'eau salée, puis cuits dans du vinaigre et des épices constituent un excellent substitut des câpres. Certains auteurs affirment que les jeunes feuilles et tiges sont comestibles et que seule la partie souterraine est toxique, d'autres soutiennent que la plante ne doit pas être mangée crue, mais bouillie pendant une heure dans au moins 2 eaux; utiliser avec prudence. Les Abénaquis consomment les jeunes feuilles bouillies, avec du lard.

On emploie cette plante contre les maladies de poitrine, puisqu'elle aide à décongestionner les bronches. Son usage a causé des accidents, car elle est fortement irritante.

Herbe de sainte-barbe

Barbarea vulgaris R. Brown
Barbarée commune ou vulgaire, cresson d'hiver ou de
terre, roquette jaune ou des marais, vélar d'orient.
Yellow rocket. *Belle island-, common winter-, rocket-,
winter- or yellow-cress, bitter, herb barbara,
winter- or wound-rocket, yellow weed.*

Cruciferae: famille de la moutarde; *mustard family.*

< Du nom de sainte Barbe à qui la plante est
consacrée; *vulgaris:* commune.

❀ Plante à tige dressée (30-60 cm), lisse et ramifiée
vers le sommet. Feuilles de la base profondément découpées.
Fleurs jaunes (moins de 1 cm) formant des grappes denses.
Fruits longs et étroits, semblables à ceux de la moutarde.

⌐ Dans les champs, en bordure des chemins, des
fossés et des ruisseaux, particulièrement dans les lieux habités.

⚜ Au sud d'une ligne joignant le lac Abitibi et Sept-Îles.

≠ La floraison hâtive de l'herbe de sainte-barbe,
ses fleurs jaune or et petites, ses feuilles plutôt arrondies au
sommet et profondément découpées, l'absence de poils sur
toute la plante la distinguent nettement de la moutarde. Cette
dernière est velue et possède des fleurs jaune pâle, plus
grandes, ne s'ouvrant qu'à la toute fin du printemps et durant
presque tout l'été.

Parce qu'elle a la réputation de guérir les contusions, on a dédié
cette plante à sainte Barbe, patronne des militaires exposés aux
dangers des champs de bataille. C'est la première des cruci-
fères jaunes à fleurir au printemps.

✗ Les jeunes feuilles et tiges au goût de cresson
sont comestibles; pour en enlever la saveur amère on jette l'eau
d'une première ébullition, on fait bouillir de nouveau et on sert.
Les boutons floraux auxquels on peut ajouter quelques fleurs
épanouies pour en accentuer le goût, se substituent au brocoli.
En général la plante est trop amère pour qu'on la mange
crue bien qu'il existe des spécimens sans amertume, délicieux
en salades vertes.

139

Herbe de sainte-barbe *(Barbarea vulgaris)*

     🥄 Comme la plupart des espèces de la famille de la moutarde, c'est une plante antiscorbutique à cause de la vitamine C qu'elle contient.

Moutarde sauvage *(Brassica kaber)*

Pissenlit officinal

Taraxacum officinale Weber
Dent-de-lion, florion d'or, laitue des chiens, pichaulit
(France).
Dandelion. Blowballs, dumble-dor (Nfld), priest's crown,
down-head clock, lions-tooth, cankerwort, yellow gowan.

Compositae: famille de la marguerite; daisy family.

De l'arabe Tharakhchakon; officinale: que l'on
trouve dans les officines (entrepôts des pharmaciens), allusion
aux propriétés médicinales.

Plante vivace sans tige. Feuilles longues et
profondément dentées, à la base de la plante. La grande «fleur»
jaune du pissenlit regroupe en réalité une foule de fleurs minuscules; elle est portée sur une longue queue creuse et remplie
de latex blanc. Fruits secs, pourvus de soies, rassemblés en
boule d'un blanc grisâtre.

Presque partout dans les lieux habités.

Remplacé dans certaines régions autour du golfe
Saint-Laurent par des espèces voisines dont il est difficile à
distinguer.

Une légende veut que cette fleur soit née de la poussière soulevée
par le char du soleil, d'où la forme et la couleur des fleurs qui s'ouvrent le matin et se ferment au crépuscule. Le mot pissenlit vient
de pisse-au-lit, allusion aux propriétés diurétiques. On dit «manger
les pissenlits par la racine», c'est-à-dire être mort et enterré.

Les jeunes feuilles en salade sont digestives, toni-
ques et purifient le sang. Plus tard, en saison, elles deviennent
amères; il faut alors les faire cuire. Infusées, ces mêmes feuilles
donnent un thé contre la grippe. Le latex blanc s'applique sur la
peau contre les taches de rousseur. Le vin fait avec les fleurs est
un apéritif, un tonique et un diurétique. La racine moulue peut remplacer le café: cueillir la racine au printemps avant la floraison, ou
à l'automne; la sécher au four puis la moudre comme du café.
C'est aussi un remède reconnu contre tous les désordres du foie,
les problèmes de la peau, la constipation et la fièvre. On en fait
une tisane à prendre avant les repas en laissant infuser 2 heures ou
bouillir 15 minutes 1-2 c. thé de racine par t. d'eau. On peut aussi
en préparer une teinture: en prendre 10-15 gouttes dans de l'eau
avant les repas; les principes actifs sont plus solubles dans l'alcool.

Tussilage

Tussilago farfara Linnaeus
Herbe à la toux, oreilles de souris, taconnet, tacouet,
tussilage farfara ou pas d'âne.
Coltsfoot. *Ass's-, bull's-, foal-, horse- or sow-foot,*
butter-bur, clay- or dummy-weed, cleats, colt-
herb, common coltsfoot, coughwort, dove-dock,
ginger, horse-hoof, tussilago.

Compositae: famille de la marguerite; *daisy family.*

< De *tussis:* toux et *ago:* je soulage, la plante
ayant longtemps été utilisée pour combattre ce malaise; *farfara:*
de *farfarus,* ancien nom latin du tussilage ou d'un peuplier blanc
à feuilles semblables.

⚘ Plante vivace à rhizome charnu. Feuilles devenant
grandes, paraissant longtemps après les fleurs, vertes sur le
dessus, blanchâtres en dessous et de forme semblable à celle
des géraniums cultivés. «Fleur» (diam. 2-3 cm) apparemment
solitaire, composée en fait d'une foule de fleurs minuscules.
Fruits semblables à ceux du pissenlit, mais au bout d'une queue
plus longue (environ 40 cm).

↴ Dans les endroits récemment ou continuellement perturbés de façon naturelle ou artificielle; abonde le long des routes
et autour des habitations, le long des rivières de Gaspésie et
sur les pentes fortes exposées aux éboulements ou aux glisse-
ments de terrain.

⚜ Au sud du Saint-Laurent où actuellement elle
est fréquente vers l'est à partir de Québec. Sur la rive nord
jusqu'à Forestville, mais ne semble pas pénétrer beaucoup à
l'intérieur des terres.

≠ Le tussilage ressemble beaucoup au pissenlit
mais la «fleur» s'épanouit généralement plus tôt et sa queue
(long. 10-20 cm) porte des écailles violacées.

Le temps qui s'écoule entre la floraison et la feuillaison fait penser
à 2 espèces très différentes qui se succèdent: d'abord un drôle
de pissenlit sans feuilles, et plus tard une plante à grandes
feuilles velues qui semble ne jamais fleurir. Avant l'invention des
allumettes, le feutrage des feuilles trempé dans le salpêtre
et séché était employé comme amadou. On peut extraire une

teinture verte des feuilles. À Paris, les fleurs de tussilage peintes sur la porte servaient d'enseigne aux apothicaires.

La feuille séchée, brûlée et réduite en cendres est un succédané du sel. La racine sert à préparer des bonbons qui calment la toux: récolter les racines de petit diamètre et les préparer comme celles du gingembre sauvage.

Les fleurs sont un vieux remède contre la toux, les rhumes, les bronchites. On fait une infusion de fleurs fraîches ou séchées dans de l'eau ou du lait. Employer aussi les feuilles récoltées avant maturité; faire bouillir 1 c. thé par t. d'eau jusqu'à ce que le liquide soit réduit de moitié; prendre 1 t. fréquemment, sucrer avec du miel. L'infusion des fleurs, en compresses chaudes, est une lotion excellente pour les peaux grasses et les petites rides. Pour soulager les crises d'asthme et les bronchites, les feuilles sèches et pilées se fument en cigarettes.

les plantes herbacées
sans fleurs
(du moins au printemps)

Ail des bois

Allium tricoccum Aiton
Ail sauvage ou trilobé, poireau sauvage.
Wild leek. *Ramp, three-seeded leek, wild garlic.*

Liliaceae: famille du lis; *lily family.*

< *Allium:* ancien nom de l'ail; *tricoccum:* l'ovaire
de la fleur ayant trois compartiments.

Bulbe de l'ail des bois *(Allium tricoccum)*

*   Plante à bulbe. Feuilles semblables à celles du muguet, disparaissant tôt avec les fleurs. Ces dernières, petites, blanc verdâtre, forment une boule à l'extrémité d'un long support nu (long. 15-40 cm). Fruits secs contenant 3 graines d'un noir métallique.

↴ Généralement dans les érablières les plus riches: érablières à caryers et laurentienne.

⚜ Basses terres du Saint-Laurent et Beauce.

Le nom du genre dérive peut-être du mot celtique *all:* «brûlant». Très abondant sur l'emplacement de Chicago, l'ail des bois a donné à la ville son nom amérindien signifiant: «plante à odeur de bête puante». L'ail des bois appartient au même genre que l'ail, l'oignon, le poireau, l'échalotte et la ciboulette. Il se cultive difficilement mais on peut l'aider à se multiplier en répandant des graines dans son habitat. Comme il est rapidement masqué par la végétation de sous-bois, il faut le repérer très tôt après la fonte des neiges, avant que les trilles ne déroulent leurs feuilles; 2 à 4 semaines plus tard, on peut récolter les bulbes. Quand le feuillage des arbres ombrage le sol, les feuilles jaunissent et disparaissent, puis la fleur s'épanouit.

✗ Les feuilles et les bulbes sont comestibles. Les feuilles sont délicieuses en salade, dans une soupe, comme substitut du poireau. Macérées dans du vinaigre elles lui donnent leur saveur et une belle couleur rosée, si la base des feuilles est rouge. On récolte les bulbes de préférence au printemps; si on a soin de marquer les colonies, on peut y revenir pour cueillir de l'ail jusqu'à l'automne. Le bulbe est excellent, cru ou comme condiment dans un plat de viande ou de légumes. Pourquoi ne pas essayer la soupe à l'ail des bois gratinée? On peut également le mariner comme les petits oignons. De toutes les façons, il est délicieux.

---

*   Bien qu'il ne fleurisse qu'à l'été, on considère l'ail des bois comme «plante printanière» parce que le début de cette saison marque le moment où il est le plus visible et où sa récolte offre le plus d'intérêt.

Prêle des champs

Equisetum arvense Linnaeus
Barbe à écurer ou à récurer, prêle commune, queue
de cheval, de rat ou de renard.
Field horsetail. *Bottlebrush, bull-, horse- or snakes-
pipes, cat's- or fox-tail, common or cornfield
horsetail, devil's-guts, joint weed,
pewterwort, rush, scouring or shave brush.*

Equisetaceae: famille de la prêle: *horsetail family.*

< De *equus:* cheval et *seta:* crin; *arvense:* des
champs cultivés.

⚘ Petite plante sans fleurs se reproduisant par des
organes spéciaux (sporanges) rassemblés en épis. Feuilles très
petites, groupées et soudées à la base en une gaine entourant
les rameaux et dont les pointes longues et aiguës sont libres.
Rhizome d'où partent 2 types de tiges: les premières blanchâtres
ou beiges (haut. 5-30 cm) et portant un épi, les autres plus tardives,
vertes (haut. 15-45 cm) sans organes reproducteurs et portant
plusieurs étages de rameaux simples.

↴ Croît dans les milieux les plus divers à l'exception
des habitats nettement aquatiques. Abonde en particulier en
bordure des routes.

⚜ Partout, même dans la zone arctique.

≠ La prêle des champs risque d'être confondue
avec ses deux soeurs: la prêle des prés, *(E. pratense)* dont
les pointes des feuilles sont courtes, et la prêle des bois
(E. sylvaticum) à rameaux très divisés.

La tige est rude à cause de la silice qu'elle contient, d'où le
nom prêle dérivé d'*asper* (âpre); on s'en sert d'ailleurs pour le
récurage des chaudrons.

✗ Les prêles contiennent de l'acide aconitique,
poison puissant pour le système nerveux. Fraîches ou séchées,
elles ont pour le bétail un degré de toxicité variable selon
l'espèce de prêle ou le genre de bétail. Les chevaux qui
consomment de l'*E. arvense* contractent une maladie appelée
équisetosis ou chambranle. Il est préférable de se méfier des
prêles, même si certains consomment les jeunes pousses fertiles
bouillies sans en éprouver de malaise.

▲ Prêle des champs, tiges stériles
◀ Prêle des champs, tiges fertiles

🏺 La prêle des champs contient des sels minéraux, surtout des sels de potassium et s'emploie contre les maladies de reins, car elle est diurétique. Faire bouillir 15 minutes 1 c. thé de tiges du printemps réduites en poudre; boire 1-2 t. par jour. La même tisane sert en usage externe contre les démangeaisons, les maladies de la peau, pour arrêter le sang des blessures et les saignements de nez (aspirer par le nez).

Fougère de l'autruche

Matteuccia struthiopteris (Linnaeus) Todaro
Fougère des bois, matteuccie fougère-à-l'autruche, tête
de violon.
Ostrich fern. *Fiddlehead.*

Polypodiaceae: famille du polypode; *fern family.*

< *Matteuccia:* ainsi nommée en l'honneur d'un
physicien italien, Carlo Matteucci (1800-1868); *struthiopteris:* de
struthio: autruche et *pteris:* fougère, les feuilles ressemblant à
de grandes plumes d'autruche.

* Fougère vivace à rhizome. Feuilles de deux types:
les unes (stériles) vertes et très grandes (haut. jusqu'à 2 m),
d'abord roulées en crosse, se déroulant au rythme de la saison,
disposées en couronne autour des autres feuilles (fertiles) très
rigides, brunes et plus courtes (haut. 75 cm).

↓ Lieux humides, particulièrement dans les forêts
bordant les cours d'eau: érablière argentée, frênaie à orme,
peupleraie à peuplier baumier, aulnaie. Constitue souvent de
grandes colonies dans les endroits inondés au printemps.

⚜ Surtout au sud: régions de Montréal et de
l'Outaouais, et en Gaspésie. Se rencontre jusqu'au sud de la
baie James et à Anticosti.

≠ Au début du printemps, le vert foncé des crosses
enroulées et les écailles brunes qui les recouvrent suffisent à
différencier les jeunes spécimens. Au Québec, deux autres
espèces de fougères lui ressemblent et croissent dans des
habitats semblables ou voisins: d'une part, l'osmonde cannelle
caractérisée par une abondance de poils laineux de couleur
cannelle ou blanchâtre, dont les feuilles fertiles, fragiles et molles,
sont aussi au centre d'une couronne de grandes feuilles
vertes; d'autre part, l'onoclée sensible, généralement plus petite
que les deux précédentes, souvent de teinte rougeâtre au stade
des crosses, à feuilles disposées en ligne plutôt qu'en couronne
et à feuilles fertiles rigides.

Dans le langage des plantes, la fougère symbolise la simplicité.
Le nom populaire tête de violon caractérise bien son apparence

* Plante sans fleur, comestible au printemps et ne fructifiant
qu'en été.

Osmonde cannelle *(Osmunda cinnamomea)*

au printemps, bien que cette façon de se dérouler se retrouve chez beaucoup d'autres fougères. Les feuilles fertiles portent des organes reproducteurs particuliers: les sporanges qui libèrent, sous forme de poussière, des spores minuscules assurant la propagation de l'espèce.

Les têtes de violon sont faciles à trouver, vite cueillies et constituent un régal printanier réunissant de plus en plus d'adeptes. Les jeunes crosses non déroulées (pas plus de 20 cm de haut.) se mangent crues ou cuites dans l'eau ou à la vapeur, selon les goûts, après avoir été débarrassées des écailles brunes qui les recouvrent. On peut congeler les crosses fraîches ou blanchies (ébouillantées 1 ou 2 minutes); cuites, on peut les servir en salade, en sauce, en soupe ou dans une omelette. On en trouve sur le marché, dans les produits congelés, en provenance des provinces Maritimes.

les arbustes et les arbres
à fleurs blanches

Chatons

Salix discolor Mühlenberg
Petits chats ou minous, saule discolore.
Pussy willow. *Bog-, glaucus-, large pussy-, silver-
or swamp-willow.*

Salicaceae: famille du saule; *willow family.*

< *Salix:* nom latin classique du saule; *discolor:*
de plus d'une couleur, allusion à la feuille.

Arbuste pouvant atteindre environ 6 mètres de
hauteur. Feuilles allongées, au contour sinueux; vert foncé sur le
dessus et argentées en dessous. Fleurs groupées en chatons
(les petits minous) mâles ou femelles, portés sur des arbustes
différents et paraissant longtemps avant les feuilles. Fruits (produits par les arbustes femelles) minuscules et portant une touffe
de poils soyeux.

Surtout dans les endroits humides, en bordure
des routes et des fossés; marécage, tourbière et cédrière tourbeuse, aulnaie, prairie humide, rives des lacs et des cours d'eau.

Partout.

≠ Ce sont surtout l'éclosion précoce des fleurs
et le début de la formation des fruits avant même l'arrivée des
feuilles qui distinguent cette espèce de saule. Les caractères de
la feuille et la quasi-omniprésence de l'espèce sont également
de bons indices.

Il y a une quarantaine d'espèces de saules au Québec, arbres
ou arbustes, présentant parfois des problèmes d'identification.
Dans Charlevoix, «le» saule désigne l'arbre et «de la» saule,
des arbustes. Les saules se plaisent au bord des rivières malgré
l'érosion. Il suffit d'en planter quelques bouts de branche en sol
humide pour les voir se propager avec facilité. Le lagopède des
saules, sorte de perdrix, survit dans les régions nordiques en
mangeant ses bourgeons; le nom montagnais signifie d'ailleurs
«bois du lagopède». Les Amérindiens tiraient une teinture jaune
des feuilles et se servaient des rameaux pour fabriquer des
sifflets ou tresser des paniers.

L'écorce interne est comestible; séchée et réduite
en farine, elle prend le maximum de saveur. Les jeunes feuilles

Très jeune chaton du saule discolore avant son épanouissement

riches en vitamine C et les rameaux pelés accompagnent un repas de façon originale.

La décoction de l'écorce interne renferme de l'acide salicylique et sert de substitut à l'aspirine et à la quinine. L'écorce des saules est un tonique, un astringent intestinal et un remède contre la fièvre: infuser longtemps ou faire bouillir 1 c.

thé d'écorce pulvérisée par t. d'eau, ou en faire tremper une poignée dans une bouteille de vin rouge et en boire 2 verres par jour. Les feuilles et les chatons ont un effet calmant et anti-aphrodisiaque; contre l'insomnie, l'angoisse, les douleurs géni-tales et «l'excès de tempérament», en prendre une infusion avant le coucher.

Senellier

Crataegus Linnaeus
Aubépine, cenellier, pommettes, senelle ou poire à cochons, snellier.
Hawthorn. *Red haw, thorn.*

Rosaceae: famille de la rose; *rose family.*

< De *kratos:* force, allusion à la dureté du bois.

✿ Arbre ou arbuste (1-10 m), à cime dense en forme de dôme et à rameaux munis d'épines longues et raides. Feuilles alternes, le plus souvent ovales et pointues au sommet, à contour doublement denté (grosses dents redécoupées en dents plus fines). Fleurs groupées sur le rameau, à 5 pétales blancs arrondis. Fruits (senelles) charnus mais peu juteux, de couleur variable selon les espèces: écarlate, rouge, orangé ou jaune.

⌐ Lieux secs et ensoleillés. Dans les champs et pâturages, autour des habitations et en bordure des routes.

≠ Les senelliers connaissent ici une «explosion génétique»: les $\frac{4}{5}$ des espèces mondiales se trouvent en Amérique du Nord. Le nombre d'espèces reconnues par les botanistes varie entre 150 et 1 500, c'est assez dire la confusion qui y règne. Même les spécialistes y perdent leur latin!

L'aubépine indique généralement le passage de l'homme. Ces arbustes exigent beaucoup de lumière. Ils ont commencé à se répandre dans la vallée du Saint-Laurent en suivant les emplacements de culture délaissés par les Amérindiens; la colonisation par les Blancs leur a ensuite fourni en abondance un habitat propice. Les fruits faisaient partie de l'alimentation des Amérindiens et différentes parties de l'arbuste, selon les tribus, ont eu un usage médical contre les maux d'estomac. Les épines peuvent servir d'aiguilles d'urgence. Plusieurs espèces servent à l'ornementation et les haies d'aubépine sont tout à fait appropriées pour repousser les voisins indésirables; on peut employer les souches pour greffer des arbres fruitiers. Le bois très dur, lourd et solide sert à fabriquer des manches d'outils ou pour remplacer le buis dans la gravure sur bois; il dégage beaucoup de chaleur en brûlant. Les Chrétiens le considéraient comme un arbre sacré: selon eux, la couronne d'épines du Christ aurait été faite de ses branches épineuses.

✕ Le fruit est comestible mais la saveur varie d'un arbre à l'autre. Il faut prendre le temps de repérer dans sa région les cenelliers dont les fruits ont le meilleur goût; on en fait une gelée agréable et une marmelade délicieuse. On utilise les fleurs dans une confiture analogue à la confiture de roses: ajouter aux pétales une quantité égale de sucre et assez d'eau pour couvrir, puis cuire.

✍ L'aubépine commune *(C. oxyacantha)* est utilisée en Europe comme diurétique, tonique du coeur et comme gargarisme contre le mal de gorge; nos autres espèces possè-deraient les mêmes propriétés: infuser 1 c. thé de fleurs par tasse. La tisane des fruits séchés et bouillis quelques minutes est astringente et s'emploie contre la diarrhée ou comme garga-risme contre les maux de gorge.

Petites poires

Amelanchier Medicus
Amélanchier, poirier.
Juneberry. Saskatoon, serviceberry, shadbush, sugar-plum, sweetpear.

Rosaceae: famille de la rose; *rose family.*

< *Amelanchier:* nom provençal d'une espèce européenne.

❀ Arbre ou arbuste (2-10 m). Feuilles alternes, ovales, dentées, généralement pointues au sommet, plus ou moins velues lorsque jeunes. Fleurs nombreuses, d'un blanc éclatant, formant le plus souvent des grappes à l'extrémité des rameaux. Fruits pourpres ou noirs, sucrés et juteux.

↓ Selon l'espèce: tourbières et endroits maréca-geux, rivages, pentes rocheuses ou sablonneuses, habitats ouverts, bordure des chemins, forêts.

⚜ La plupart des espèces sont distribuées surtout dans les basses terres du Saint-Laurent, les Appalaches ou en Gaspésie. Exceptionnellement certaines espèces s'aventurent pratiquement jusqu'à la limite des arbres.

≠ La démarcation des espèces n'est pas toujours claire. Elles se croisent entre elles, ce qui en complique l'identi-fication. En plus des caractères des fleurs et des fruits, on les reconnaît à leurs feuilles minces à dents fines et aiguës, à leur taille généralement arbustive.

Au printemps, les petites poires sont parmi les premiers et les plus remarquables des arbustes à fleurir au Québec. Le nom «petites poires» a une origine française très lointaine. Les fruits sont mangés en abondance par les animaux. Les Amérindiens consommaient ces baies crues ou séchées; le «pemmican» se faisait à partir d'une pâte sèche de ces fruits, mêlée à la viande hachée de chevreuil ou de bison. La ville de Saskatoon doit son nom à un terme amérindien désignant les petites poires. Les gens désireux d'attirer les oiseaux dans leur jardin auraient profit à recourir davantage à ces arbustes à des fins ornementales.

✗ Cuites ou séchées, les baies de l'amélanchier sont délicieuses. La cuisson attendrit les graines du fruit et selon certains, elles ajoutent le goût de l'amande à celui de la pulpe sucrée. Ces petits fruits peu utilisés apporteront une saveur nouvelle aux gelées, tartes, etc.

Petit merisier

Prunus pensylvanica Linnaeus filius
Arbre à petites merises, cerisier d'été ou de pennsylvanie, merise.
Wild red cherry. *Bird-, fire-, pin-, pigeon- or red-cherry.*

Rosaceae: famille de la rose; *rose family.*

< *Prunus:* ancien nom latin du prunier; *pensylvanica:* de Pennsylvanie.

❀ Arbre généralement de faible taille, mais pouvant atteindre 15 m. Écorce brun rouge, recouverte d'une fine pellicule grisâtre. Feuilles finement dentées, allongées et pointues au sommet. Fleurs blanches, chacune sur une longue queue, groupées par 5-7 sur le rameau. Fruits juteux (merises), rouge vif, très acides.

↓ Espèce pionnière. Dans les lieux ouverts et secs, en particulier là où est passé un incendie; également dans les terrains de culture abandonnés, les pâturages et dans certains cas sur les terrains d'une coupe forestière.

⚜ Le sud jusqu'à la baie d'Hudson (golfe de Richmond) et le Labrador.

≠ Le prunier sauvage *(P. nigra)* a des fleurs regroupées comme celles du petit merisier, bien qu'elles soient moins nombreuses. Elles paraissent avant les feuilles, très tôt au printemps. Il se distingue des autres *Prunus* par sa petite taille, ses gros fruits et ses branches portant des pointes semblables à des épines.

Au Québec le nom merisier désigne aussi le bouleau jaune. Sous notre climat, la forêt tend à envahir tout terrain ouvert, mais le reboisement naturel passe par différentes étapes. S'installent d'abord des plantes pionnières qui ont besoin de beaucoup de lumière et qui tolèrent les variations de température et d'humidité. Elles préparent le terrain à des plantes plus exigeantes pour l'habitat et qui les remplacent graduellement. Ainsi le petit merisier considéré comme une plante pionnière, germe et pousse au soleil mais les graines qu'il produit ne peuvent germer à leur tour puisque les «plantes-parents» elles-mêmes produisent déjà trop d'ombre. D'autre part, dans un stade ultérieur, il peut facilement être remplacé par le bouleau jaune qui, lui, exige de l'ombre pour s'implanter. C'est l'ensemble de tels stades qu'on appelle «succession végétale».

Le fruit rouge clair est agréable au goût et cuit, il donne une belle gelée. Les feuilles fraîches contiennent un peu d'acide cyanhydrique.

Cerisier à grappes

Prunus virginiana Linnaeus
Cerises à grappiet ou sauvages, cerisier à cochons,
à vaches ou de virginie, étrangles.
Choke cherry. *Cabinet-, rum-, wild-, wild black- or
wiskey-cherry, common-, red fruited- or red-choke cherry.*

Rosaceae: famille de la rose; *rose family.*

< *Prunus:* ancien nom latin du prunier; *virginiana:*
de Virginie.

♣ Arbuste ou petit arbre (3-9 m). Écorce à odeur
prononcée, d'un brun gris tacheté de jaune. Feuilles finement
dentées, ovales mais plus larges vers le sommet. Fleurs
blanches disposées en grappes. Fruits juteux (cerises), rouge
foncé, presque noirs à maturité.

↴ Un peu partout dans les divers types d'érablières, dans les forêts ou les groupements arbustifs bordant
les cours d'eau, le long des routes, des fossés, des pâturages
et près des habitations.

⚜ Basses terres du Saint-Laurent, Gaspésie, sud
des Laurentides, Saguenay-Lac-Saint-Jean, Abitibi.

≠ Un autre cerisier a des fleurs rassemblées en
grappes plus longues: le cerisier tardif ou d'automne *(P.
serotina).* C'est un grand arbre atteignant près de 30 m; ses
feuilles allongées ressemblent à celles du petit merisier et
son écorce varie du rouge au noir. On le trouve souvent dans
les érablières.

Les cerisiers sont souvent infestés par la chenille à tente qui
dénude l'arbuste. Un champignon *(Dibotryon morbosum)* appelé
«crotte de chien», provoque des renflements d'un noir mat
déformant les rameaux.

✗ Les cerises sont agréables au goût mais rendent
la bouche pâteuse, d'où le nom anglais de *choke cherry.*
Délicieuses en gelée ou en sirop, après que la cuisson ou le
séchage les a débarrassées de leurs propriétés astringentes.
Les jeunes feuilles fraîches contiennent beaucoup d'acide cyanhydrique, ce qui les rend toxiques.

Le sirop s'utilise pour masquer le goût de certains médicaments. L'écorce interne aromatique du cerisier tardif est employée comme calmant et contre les maladies des bronches: infuser 1 c. tab. par t. d'eau. On la fait sécher mais elle perd ses propriétés si on la conserve longtemps.

Sureau rouge

Sambucus pubens Michaux
Sirop, sureau pubescent.
Red-berried elder. Boor- or bore-tree, boutry, moun-
tain-, poison- or stinking-elder, red elderberry.

Caprifoliaceae: famille du chèvrefeuille; *honeysuckle
family.*

< De *sambuce:* sambuque, ancien instrument de
musique fabriqué de bois de sureau; *pubens:* portant des poils.

♣ Arbuste d'environ 2-3 mètres, à tige creuse remplie
de moëlle brune. Feuilles opposées, composées de 3-7 folioles
dentées. Fleurs blanches, nombreuses, regroupées en bouquets
en forme de cônes (haut. environ 10-15 cm). Fruits rouges
charnus formant des masses voyantes dès le début de l'été.

↓ En forêt croît souvent en compagnie du bouleau
jaune: fréquent dans l'érablière à bouleau jaune et la bétulaie jaune.
Moins souvent dans les autres types d'érablières et de forêts mixtes.

⚜ Au sud de Natashquan, du lac Mistassini et de
la baie James.

≠ Le sureau blanc *(S. canadensis)* fleurit en été,
alors que le sureau rouge est déjà en fruit; son inflorescence
est aplatie et il croît dans les lieux humides.

Le nom latin dérive du nom d'un instrument à cordes, bien que
l'usage désigné pour les branches soit plutôt la fabrication de
flûtes ou de sifflets. La moëlle spongieuse du sureau est faite
de cellulose pure et s'enlève facilement. Les branches ainsi
vidées donnent des tubes dont on peut faire des pipes, des
tire-pois et des chalumeaux pour l'eau d'érable. Une espèce
européenne se cultive pour ses fruits qui servent à faire du vin ou
à déguiser des vins bon marché en meilleurs crus; c'est également
une des propriétés de notre espèce de sureau, le sureau blanc.

✗ Racines, feuilles, rameaux et fruits verts sont
toxiques. Les fruits mûrs ont mauvaise réputation en raison de
leur goût et du fait qu'ils sont parfois irritants pour l'intestin, même
si certains les tolèrent bien. À chacun de trouver son seuil de
tolérance aux baies très acides de cette plante.

⚕ Les fleurs de sureaux européens sont d'usage médical;
notre autre sureau (le blanc) semble avoir les mêmes propriétés.

Hart rouge

Cornus sericea Linnaeus (syn. *C. stolonifera* Michaux)
Bois de calumet, cornouiller stolonifère, osier rouge,
poison.
Red-osier dogwood. *Cornel, dogberry- or gutter-tree,
kinnikinnik, red-brush-, osier-, osier- cornel- or red-
stemmed-dogwood, squaw-bush, waxberry-cornell.*

Cornaceae: famille du cornouiller; *dogwood family.*

< De *cornu:* corne, allusion à la dureté du bois; *sericea:*
soyeux.

♣ Arbuste d'environ 3 mètres. Écorce caractéris-
tique: lisse et rouge vif. Feuilles (long. 3-13 cm) opposées, sans
dents et à nervures très marquées. Fleurs petites, crème, as-
semblées au bout des rameaux. Fruits charnus, d'un blanc mat.

↴ Généralement dans les lieux humides; en
bordure des fossés, sur les rivages, dans certaines forêts
humides et plus ou moins tourbeuses (cédrière tourbeuse,
sapinière à thuya, aulnaie).

⚜ Au sud de la baie d'Hudson, de Schefferville et
de Goose Bay.

Le nom bois de calumet vient de l'usage qu'en font les Amérindiens. Au Québec «la hart» désigne une fine branche dégarnie
de ses feuilles, employée comme fouet ou pour lier les piquets
de clôture et les gerbes. C'est un mot d'ancien français nommant
la corde avec laquelle on pendait les condamnés ou une petite
branche flexible (généralement d'osier) servant à attacher les fa-
gots. Ses branches d'un beau rouge sont effectivement employées
pour tresser des paniers. Beaucoup d'animaux, surtout les oiseaux,
les chevreuils, les orignaux et les petits mammifères se nourrissent
des fruits, feuilles et bourgeons. Le nom *dogwood* vient de
l'usage d'une décoction servant à nettoyer les chiens galeux.

✗ Le fruit est très amer, même cuit et sucré. Les
Amérindiens utilisaient l'écorce interne et parfois les feuilles
comme succédané ou mélangées au tabac. On lui prête des
effets narcotiques (stupéfiants).

⚗ L'écorce bouillie dans de l'eau: 1 c. thé par t.,
sert à éliminer les parasites intestinaux; son effet est aussi
bénéfique contre la diarrhée et la fièvre.

Sorbier d'amérique

Sorbus americana Marshall
Cormier, makamina, mascabina, mascot, mascou, maska, maskouabina, maskwamina.
Mountain-ash. *Dog- or rowan-berry, elder-leaved mountain-ash or sumack, indian-mozamize, life-of-man, missey-moosey, moose-missy, round-, rowan-, service- or wine-tree, round- or witch-wood.*

Rosaceae: famille de la rose; *rose family.*

< *Sorbus:* ancien nom latin de l'amélanchier, qui signifierait absorber, arrêter; *americana:* d'Amérique.

♣ Arbuste ou petit arbre pouvant atteindre 10 mètres, à écorce bronzée. Feuilles alternes, composées de 11-17 folioles finement dentées, allongées et terminées en pointe. Fleurs petites, rassemblées en une inflorescence dense, un peu bombée. Fruits charnus, rouges ou orangés.

↴ Forêts mixtes et conifériennes; aussi sur les rochers.

≠ Un autre sorbier *(S. decora),* particulièrement fréquent dans le Bas-Saint-Laurent et la Gaspésie, s'en distingue par des folioles à pointe courte, brusquement rétrécie, et des fruits un peu plus gros (diam. 1 cm).

Les sorbiers sont des arbres très décoratifs par leur feuillage découpé et leurs grappes de fruits orangés qui nourrissent les oiseaux en hiver. Dans les parterres on plante souvent le sorbier des oiseaux *(S. aucuparia)* dont les feuilles sont souvent dévorées par les larves d'insectes. Les Algonquins faisaient bouillir les jeunes rameaux avec de l'épinette blanche, des feuilles de thé des bois et des fleurs de sureau blanc dans un peu de vin pour faire une tisane fortifiante. Les Tête-de-Boule soignaient la faiblesse générale et la dépression nerveuse avec les fibres de l'écorce interne et les bourgeons ébouillantés.

✆ Cueillis très tard, après les premiers gels, les fruits font des gelées, confitures et marmelades. Ceux de *S. aucuparia,* l'espèce ornementale des parterres, sont également comestibles.

⚕Les fruits sont antiscorbutiques, diurétiques et astringents; on les emploie contre la diarrhée, la dysenterie et comme source de vitamine C. On peut les conserver séchés ou en sirop: faire bouillir le jus frais avec 2 fois son poids en sucre. En tisane, il faut faire bouillir 30 minutes.

Bois d'orignal

Viburnum alnifolium Marshall
Viorne à feuilles d'aulne ou faux-lentana.
Moose berry. *Hobblebush, moose-wood, sheepberry, tangle-legs, wild raisin, witch-hobble.*

Caprifoliaceae: famille du chèvrefeuille; *honeysuckle family.*

< *Viburnum:* nom latin classique signifiant peut-être «lier», allusion à la souplesse et à la flexibilité des rameaux; *alnifolium:* de *alnus:* aulne et *folium:* feuille, les deux arbustes ayant des feuilles semblables.

☘ Arbuste à écorce lisse (haut. 1-3 m). Feuilles opposées, larges, en forme de coeur, plissées comme celles de l'aulne, étalées au-dessus des rameaux. Fleurs blanches de 2 sortes, les plus grandes (stériles) formant couronne autour des plus petites (fertiles). Fruits charnus, rouge noir à maturité.

↳ Espèce forestière. Particulièrement fréquente dans les bois frais: l'érablière à bouleau jaune et la bétulaie jaune; occasionnelle dans l'érablière laurentienne.

⚜ Basses terres du Saint-Laurent et Appalaches, sud des Laurentides.

≠ Les caractères de la feuille et des fleurs, ses rameaux courts portés d'un seul côté de la branche et terminés par 2 feuilles, ses gros bourgeons sans écailles et de couleur cannelle pâle le distinguent des autres espèces de viorne.

On appelle également bois d'orignal l'érable de pennsylvanie. Comme ce dernier ne produit pas de baies, certains guides forestiers du Maine le considèrent souvent comme la plante mâle de la viorne à feuille d'aulne qui, portant des fruits, serait la plante femelle. Les fruits mûrs sont mangés par quelques espèces d'oiseaux.

✗ La texture des fruits rappelle celle des dattes.

Pimbina

Viburnum trilobum Marshall
Quatre-saisons des bois, viorne trilobée.
Cranberry-tree. *American cranberry bush, cherry
wood, cramp-bark, cranberry viburnum, dog rowan-,
gaiter-, gatten-, pincushion- or whitten-tree,
highbush-cranberry, marsh-, rose-, or water-elder,
may- or wild guilder-rose, pimbina, snow-ball
or -hobble, squaw-bush, white dogwood.*

Caprifoliaceae: famille du chèvrefeuille; *honeysuckle
family.*

< *Viburnum:* nom latin classique signifiant peut-
être «lier», allusion à la souplesse et à la flexibilité des rameaux;
trilobum: à 3 lobes, à cause de la feuille.

♣ Arbuste (haut. 2-4 m). Feuilles opposées,
semblables à celles de l'érable, découpées en 3 lobes aigus
à grandes dents. Fleurs blanches de 2 sortes, disposées de la
même façon que celles de *V. alnifolium* (p. 183). Fruits charnus,
rouge vif.

↳ Au bord des rivières, dans les érablières et les
lieux marécageux ou sourceux de certaines forêts; sur les
falaises.

⚜ Surtout dans les basses terres du Saint-Laurent,
mais également jusqu'en Gaspésie, au Lac Saint-Jean et en
Abitibi (Matagami).

Les boules-de-neige cultivées comme arbustes d'ornementation
appartiennent à une espèce européenne voisine, le *V. opulus.*

✗ Le pimbina donne une gelée ou une confiture
légèrement acide d'un rouge très agréable à l'oeil; elle est
délicieuse en dépit de la mauvause odeur du fruit, qui peut
persister même après la cuisson. On peut masquer cette odeur
en ajoutant, avant la cuisson, un zeste et du jus d'orange ou de
citron. Sa saveur n'est pas sans rappeller celle des canneberges.
Cueillir le fruit tard en saison quand il est bien mûr et rendu
juteux par les premiers gels de l'automne.

Thé du labrador

Ledum groenlandicum Retzius
Bois de savane (île aux Coudres), lédon du groenland,
thé sauvage ou velouté.
Labrador-tea. *Bog- or St-James-tea.*

Ericaceae: famille du bleuet; *blueberry family.*

< De *ledon:* autre espèce à essence aromatique, voisine de celle du thé du labrador; *groenlandicum:* du Groenland.

❖ Petit arbuste des tourbières (haut. 30-60 cm) à rameaux fortement velus-laineux. Feuilles alternes, coriaces, à bords enroulés, vertes sur le dessus et recouvertes en dessous de longs poils blancs devenant orangés à maturité. Fleurs blanches, petites (diam. moins de 1 cm), groupées en boule au sommet de la tige.

↴ Lieux humides et acides, particulièrement les endroits tourbeux: rivages, tourbières à sphaignes et certaines forêts (pessières noires à sphaigne ou à kalmia, sapinière à cèdre). Aussi, sur les rochers dénudés.

⚜ Partout, même au-delà de la limite des arbres.

Le lédon est confondu par les Abénaquis, sous le terme de *jâbak,* avec 2 plantes de la même famille: la chimaphile et le kalmia; ces dernières constitueraient les phases plus jeunes. Les feuilles mêlées au linge tiennent les mites à l'écart et, il y a longtemps en Laponie, on ajoutait des plants d'une autre espèce de lédon au maïs engrangé pour éloigner les souris. On tirait une teinture brune de cette plante.

✕ Les feuilles donnent un thé au goût de sapinage, à effets calmants et qui peut être substitué aux tisanes de tilleul.

⚗ Le thé des feuilles ou des fleurs est non seulement somnifère, mais aussi astringent, digestif et calmant pour la toux. C'est donc une bonne tisane à boire avant de se mettre au lit. Selon Marie-Victorin: «C'est apparemment un stupéfiant léger: les femmes indiennes de certaines tribus en prennent 3 fois le jour quand approche le moment de leur délivrance, et les feuilles réduites en poudre sont prisées contre le mal de tête». La *jâbak* des Abénaquis, pulvérisée et mêlée à de l'écorce de sassafras, s'emploie aussi en prise, mais pour décongestionner le nez pendant un rhume. Une décoction concentrée des feuilles sert de shampoing pour déloger les poux.

Cassandre

Cassandra calyculata (Linnaeus) D. Don
Cassandre caliculé, faux bleuets.
Leather-leaf. Cassandra.

Ericaceae: famille du bleuet; *blueberry family.*

< *Cassandra:* personnage de la mythologie grecque; *calyculata:* calicule, désigne l'ensemble des bractées doublant le calice.

❀ Arbuste (haut. 13-90 cm). Feuilles alternes et coriaces, vertes avec des points blancs sur le dessus, piquées de rouille en dessous. Fleurs blanches, petites, semblables à celles du muguet, pendantes et en grappes allongées. Rameaux portant des feuilles réduites du côté opposé aux fleurs.

↓ Recherche le soleil et les lieux humides et acides: rivages de lacs, d'étangs ou de ruisseaux tourbeux, tourbières et certaines forêts ouvertes et dominées par l'épinette noire ou le mélèze.

⚜ Le sud, jusqu'à la limite des arbres.

≠ Se distingue assez bien des autres arbustes de la tourbière (kalmia, andromède, thé du labrador, etc . . .) par ses feuilles planes, à dessous piqué de rouille, dressées et appliquées sur la tige.

Parce qu'il l'aimait, Apollon, le dieu de la lumière et de la vérité, accorda à Cassandre le don de prophétie. Comme elle refusait son amour, le dieu, qui ne pouvait reprendre le don, décréta que personne ne croirait à ses prédictions. Elle prédit plusieurs des événements de la guerre deTroie et entrevit sa propre mort. Cassandre était destinée à toujours connaître les malheurs à venir sans rien pouvoir faire pour les éviter. L'arbuste qui porte son nom constitue une nourriture appréciée des chevreuils et des orignaux.

✗ Les feuilles fraîches ou séchées se prennent en infusion. Ne pas faire bouillir: ce procédé libérerait une toxine.

⚕ Cette infusion sert contre la fièvre; on utilise également les feuilles réduites en pâte pour soigner les inflammations.

Bleuet

Vaccinium angustifolium Aiton
Airelle à feuilles étroites ou du canada, beluet, bluet.
Blueberry. *Early-sweet-, late-sweet- or low-sweet-
blueberry, lowbush huckleberry, sweet hurts.*

V. myrtilloides Michaux
Airelle fausse myrtille, beluet.
Blueberry. *Sour-top or velvet leaved blueberry.*

Ericaceae: famille du bleuet; *blueberry family.*

De *vaccinus:* vache; *angustifolium:* à feuilles
étroites; *myrtilloides:* ressemblant à la myrtille *(V. myrtillus),*
une espèce européenne.

Petit arbuste à rameaux verts (haut. 15-60 cm).
Feuilles alternes, 2 fois plus longues que larges, pointues au
sommet. Fleurs en forme de tube (long. ½ cm), blanches ou
rosées, rassemblées en grappes à l'extrémité des rameaux.
Fruits bleu noir, charnus et délicieux au goût.

Grande variété d'habitats secs ou humides:
sable, rocher, brûlé, tourbière; également dans les forêts conifériennes, les bois tourbeux ou ceux provenant d'un incendie
(tremblaie, bétulaie blanche, pinède à pin gris).

Jusqu'à la limite des arbres pour *V. angusti-
folium* et au sud de la baie d'Hudson et de la rivière Churchill
(Labrador) pour le *V. myrtilloides.*

Le *V. myrtilloides* se distingue du *V. angustifolium* par ses feuilles et ses jeunes rameaux abondamment
poilus, et par ses fruits un peu acides.

Les Amérindiens ajoutaient les fruits à la viande séchée *(pemmican)* pour en relever la saveur. Ils réussissaient à conserver
ces fruits durant 2 ans en les faisant bouillir une dizaine d'heures
jusqu'à consistance d'une pâte solide, appelée gâteau ou fromage
de bleuets. On obtient une teinture bleue ou grise à partir des
fruits. Le bleuet devient particulièrement abondant après un feu de
forêt; c'est pourquoi dans les bleuetières de la région du Lac-
Saint-Jean on pratique des feux contrôlés pour maintenir la
production. Lorsque, durant l'hiver, les arbustes ne sont pas
recouverts de neige, la récolte suivante est meilleure; le gel des

bourgeons non abrités équivaut à une bonne taille. En France, l'appellation bluet ou bleuet désigne une fleur des champs, la centaurée à fleur bleue *(Centaurea cyanus),* que l'on trouve ici occasionnellement échappée des jardins. Dans certaines régions françaises, cependant, bluet et ses dérivés désignent l'espèce européenne: la myrtille *(V. myrtillus).*

✗ Délicieux à l'état cru, ces petits fruits bleus servent aussi à préparer d'excellents plats parmi lesquels il faut citer les confitures, tartes, et le pouding aux bleuets. Les feuilles des différentes espèces peuvent s'infuser comme du thé. On peut faire sécher les bleuets en les plaçant au soleil, dans une pièce chaude ou au four à basse température. On en fait aussi un vin délicieux et une liqueur alcoolisée qu'on trouve dans le commerce.

⚕ Les feuilles ou les fruits sont un remède contre la diarrhée et l'entérite: faire bouillir 1 c. tab. dans 1 t. d'eau, puis infuser 20 minutes.

les arbustes et les arbres
à fleurs roses

Fleur de mai

Epigaea repens Linnaeus
Épigée rampante.
Mayflower. *Trailing arbustus, mountain pink,
ground laurel.*

Ericaceae: famille du bleuet; *blueberry family.*

< De *epi:* sur, et *gaea:* terre; *repens:* rampant.

Plante ligneuse à rameaux velus étalés sur le sol
(long. 10-30 cm). Feuilles coriaces et persistantes, alternes, sans
découpures, munies de cils sur le pourtour. Fleurs roses ou
blanches très parfumées, en forme de cloche, groupées à
l'aisselle des feuilles.

Surtout dans les bois de conifères: sapinière laurentienne, pessières noires (à kalmia et à lichen), et pinède
à pin gris. Occasionnellement dans l'érablière à bouleau jaune,
la tourbière et sur les rochers.

Au sud, jusqu'à la baie James et la frontière
sud du Labrador.

Cette plante fut choisie comme emblème floral de la Nouvelle-
Écosse. Le fruit est apprécié des fourmis.

Les fleurs ont un goût agréable et soulagent la soif.

Les feuilles sont un excellent diurétique; infuser
1 c. thé par tasse d'eau bouillante.

Rhododendron du canada

Rhododendron canadense (Linnaeus) Torrey
Rhodora.
Rhodora. *Lamb-bill, rhododendron, rhodora azalea.*

Ericaceae: famille du bleuet; *blueberry family.*

< De *rhodon:* rose et de *dendron:* arbre; *canadense:* du Canada.

❀ Petit arbuste (45-120 cm). Feuilles alternes (long. 3-5 cm) et sans dents. Fleurs roses, très voyantes, groupées sur les rameaux et paraissant avant les feuilles. Fruits secs, brun cannelle, allongés et terminés par un long filament; persistent plus d'un an sur les branches.

↴ Tourbière à sphaigne et certains groupements apparentés (pessière à sphaigne, mélèzaie, pineraie tourbeuse), sous-bois sablonneux et rivages.

⚜ Fréquent surtout au sud du Saint-Laurent, jusqu'à Rivière-du-Loup. Sur la rive nord, tout en demeurant dans son habitat, il longe le fleuve jusqu'au cap Tourmente puis de Sept-Iles jusqu'au Labrador.

Le philosophe et poète américain Emerson a déjà écrit à propos du rhododendron que sa grande beauté justifiait à elle seule la présence de cet arbre sur la terre. Il est dommage qu'il se confine chez nous à un habitat peu fréquenté, surtout à l'époque de sa floraison. Le rhodora pousse souvent en bordure des tourbières, et il se peut que ce soit parfois dû à l'influence humaine (coupe de bois par exemple). Aussi, roulant tôt au printemps sur les routes construites dans des tourbières, on y remarque cette plante dont la couleur rose couvre de grandes étendues. Les azalées cultivées appartiennent au même genre et comme eux exigent un sol humide et acide.

� Les feuilles d'espèces voisines *(R. palustre* et *R. lapponicum)* sont infusées comme du thé; vraisemblablement le rhododendron du canada a les mêmes propriétés. Toutefois, une certaine prudence est de rigueur car quelques éricacées sont toxiques; ainsi les Amérindiens Delaware se suicidaient en mangeant du kalmia *(K. polifolia, angustifolia, latifolia).* On doit infuser les feuilles plutôt que de les faire bouillir afin d'éviter de libérer la toxine. Le bétail est très sensible aux toxines des éricacées.

⚗ L'écorce et les feuilles seraient utiles contre l'arthrite goutteuse et le rhumatisme.

Gadellier glanduleux

Ribes glandulosum Grauer
Fetid currant. *Skunk currant.*

Saxifragaceae: famille du groseillier; *saxifrage family.*

< *Ribes:* ancien nom d'origine arabe employé pour désigner une espèce de rhubarbe *(Rheum ribes)* et maintenant utilisé pour les gadelliers et les groseilliers par rapprochement du goût de leurs fruits avec celui de cette rhubarbe; *glandulosum:* portant des glandes.

❀ Arbuste (60-90 cm). Feuilles alternes, non complètement déployées au moment de la floraison, divisées en 5-7 lobes comme celles de l'érable. Fleurs rosées, formant des grappes. Fruits rouges, charnus, munis de poils glanduleux.

↳ À peu près dans tous les types de forêts, souvent dans les lieux humides, les tourbières, les falaises ou rivages rocheux, les bûchés récents.

⚜ Même au-delà de la limite des arbres.

≠ La tige dépourvue d'épines, les fruits rouges et garnis de poils longs légèrement piquants et surtout l'odeur forte et peu agréable des feuilles froissées distinguent le gadellier glanduleux des autres espèces de gadelliers et de groseilliers.

Le genre *Ribes* se divise en 2 groupes: les gadelliers et les groseilliers, dont quelques-uns sont cultivés pour leurs fruits ou comme haies. Toutes les espèces sont susceptibles d'héberger une partie du cycle d'un champignon parasite: la rouille vésiculeuse du pin blanc. Les fruits sont très appréciés des oiseaux et des écureuils. Le terme gadellier est un canadianisme; l'expression «avoir les yeux à la gadelle» signifie faire les yeux doux, avoir les yeux langoureux.

✗ Les baies ont bon goût, en dépit de l'odeur qui s'en dégage et qui, toutefois, s'élimine lors de la cuisson. Les utiliser comme tout autre petit fruit juteux et sucré: confitures, gelées, etc.

☙ Les fruits du gadellier noir ou cassis *(R. nigrum)*, une espèce cultivée, possèdent des propriétés médicinales particulières favorisant la croissance, la longévité et la résistance aux infections. L'infusion des feuilles est recommandée contre l'arthrite, le rhumatisme et l'artériosclérose, tandis que la sève des feuilles désenfle les piqûres de guêpes et en soulage la douleur. Nos espèces sauvages possèdent probablement des propriétés semblables, bien que certainement inférieures à celles du cassis.

les arbustes et les arbres
à fleurs jaunes

Chèvrefeuille du canada

Lonicera canadensis Bartram
American fly-honeysuckle. Canada or fly honeysuckle,
medaddy-bush.

Caprifoliaceae: famille du chèvrefeuille; *honeysuckle
family.*

< *Lonicera:* genre dédié à Adam Lonitzer (1528-
1586), botaniste allemand; *canadensis:* du Canada.

Arbuste (90-150 cm). Feuilles opposées, ovales,
au contour garni de cils. Fleurs jaunes, parfois rosées, en forme
de cloche, groupées par 2 à l'extrémité d'une longue queue.
Fruits rouges et charnus.

Espèce forestière. Fréquente dans les éra-
blières laurentiennes, à bouleau jaune et les forêts mixtes; également
dans les cédrières et le long des ruisseaux dans la frênaie à orme.

Basses terres du Saint-Laurent, sud des Laurentides, Appalaches et Gaspésie.

≠ Au Québec, peu d'espèces d'arbustes ont des
feuilles opposées et non dentées à part les chèvrefeuilles. Parmi
ceux-ci, le chèvrefeuille du canada se distingue par ses feuilles
d'un vert tendre, ne portant des poils que sur le pourtour. Un
genre voisin, répondant aussi au nom de chèvrefeuille, *Diervilla
lonicera,* possède également des feuilles opposées mais épaisses,
munies de dents et terminées par une pointe longue et fine.

Les chèvres (*capra* en latin) aiment beaucoup le feuillage des
chèvrefeuilles, d'où le nom français et le nom de la famille. Il
en existe environ 175 espèces, dont plus de 90 sont employées
comme haies ou arbustes décoratifs. Le chèvrefeuille est
considéré comme le symbole de la fidélité et du mois de mai.

Les fleurs entrent dans la préparation de sirops
et même de vins si on a la patience d'en récolter suffisamment.
Les fruits d'espèces voisines sont comestibles et il est possible
que ceux-ci le soient également; ils sont acides et généralement
purgatifs, sinon vomitifs.

Bois de plomb

Dirca palustris Linnaeus
Dirca des marais.
Leather-wood. *American mezereon, leather-bush, leaver-, moose or swamp wood, rope-bark, wickup, wicopy.*

Thymelaeaceae: famille du bois de plomb; *mezereum family.*

< De *Dircé:* personnage de la mythologie grecque; *palustris:* des marais.

✤ Arbuste (60-180 cm) à écorce fibreuse. Feuilles alternes, ovales et minces, sans dents, poilues lorsque jeunes et très peu développées au moment de la floraison. Fleurs jaune or, pendantes, en forme de cloche et groupées par 2-4 le long des rameaux. Fruits rouges, charnus.

↴ Ici et là dans les érablières les plus riches: érablières à caryers et laurentienne.

⚜ Semble se limiter aux basses terres du Saint-Laurent et à la Beauce.

À cause de sa cruauté et à titre de vengeance, Dircé a été attachée aux cornes d'un taureau sauvage puis laissée sans sépulture en un lieu où jaillit une source: la fontaine de Dircé. Le nom français viendrait de la déformation de *leather-wood* en *leaden-wood,* traduit par bois de plomb. Cependant, le bois est mou et flexible; on utilise l'écorce pour faire des liens: cordes, courroies, et pour rempailler les chaises; le nom anglais semble donc plus approprié. Dans certains cas, l'écorce peut être irritante pour la peau.

✕ Les fruits du bois de plomb sont toxiques.

⚕ L'écorce est reconnue comme un purgatif des plus énergiques. On fait bouillir 1 c. thé d'écorce sèche par t. pendant 15 minutes; ne pas absorber plus d'une c. thé de cette tisane à la fois.

Aulne

Alnus Ehrhart
Aune, vergne, verne.
Alder. *Alder tree.*

Betulaceae: famille du bouleau; *birch family*.

< *Alnus:* ancien nom du genre, dérivé du celte, faisant allusion à la croissance de cet arbre le long des cours d'eau.

Arbuste ou petit arbre atteignant 10 mètres, ramifié à partir de la base. Écorce lisse, brun rougeâtre portant de petites cicatrices orangées. Fleurs rassemblées en chatons: les uns (mâles) longs et pendants, les autres (femelles) plus petits et dressés. Feuilles épaisses, plissées, d'un vert foncé, doublement dentées (grosses dents redécoupées en dents plus fines) et paraissant après les fleurs. Fruits à l'intérieur de petits cônes dressés.

Surtout le long des cours d'eau, en bordure des tourbières, des marécages ou des lacs. L'une de nos espèces *(A. crispa)* croît également dans les habitats plus secs comme les falaises.

Très fréquents et abondants; même au-delà de la limite des arbres.

≠ Voir noisetier (p. 209).

Comme chez les membres de la famille du pois, les racines portent des nodosités de bactéries qui lui fournissent de l'azote. Son bois ne pourrit pas dans l'eau; Venise est construite sur des piliers d'aulnes. L'écorce interne donne une teinture jaune clair, brune ou noire, tandis que de l'écorce externe on extrait du tannin pour le tannage du cuir.

Les bourgeons ou la jeune écorce interne, parfois vomitifs constituent une nourriture d'urgence.

L'effet astringent des aulnes est dû aux tannins de l'écorce. Les feuilles fraîches s'appliquent sur les infections et, réchauffées au four, elles arrêtent la lactation si on en couvre les seins. La tisane d'écorce ou de feuilles sert en gargarisme contre les maux de gorge et de bouche. Faire bouillir assez longtemps dans 2-3 t. d'eau une poignée de feuilles ou d'écorce de rameaux récoltée au printemps. Cette tisane sert également de tonique et de remède contre la fièvre.

Noisetier

Corylus cornuta Marshall
Coudrier, noisetier ou noisette à bec ou à long bec,
petite noisette.
Beaked hazelnut. *Filbert.*

Betulaceae: famille du bouleau; *birch family.*

< *Corylus:* nom classique dérivé de *corys:* casque,
allusion à la forme des bractées d'une autre espèce; *cornuta:*
cornu.

Arbuste d'environ 3 mètres formant des buissons.
Feuilles alternes, ovales, affectant la forme d'un coeur à la base
et pointues au sommet, au contour doublement denté (grosses
dents redécoupées en dents plus fines) et paraissant après la
floraison. Fleurs de 2 sortes: les unes (mâles) formant des
chatons pendants, les autres (femelles) solitaires, très petites,
d'un rouge clair. Fruits secs, chacun contenu dans une
enveloppe épineuse terminée par un long bec.

Fréquente et abondante dans la plupart de nos
forêts, plus spécialement dans l'érablière à bouleau jaune, la
bétulaie jaune, les forêts bordant les cours d'eau (frênaie à orme)
et les forêts de transition dominées par le tremble. Également
dans les groupements arbustifs humides ou marécageux.

Au sud d'Anticosti, du lac Saint-Jean et de Matagami (Abitibi).

On distingue à coup sûr le noisetier des jeunes
bouleaux jaunes auxquels il ressemble: l'écorce fraîche des
jeunes rameaux du bouleau jaune goûte et sent le thé des bois
tandis que celle du noisetier reste fade. Pour le distinguer de
l'aulne, comparer les fruits, les feuilles et surtout l'allure générale: le tronc de l'aulne se ramifie dès la base et devient relati-
vement gros, tandis que le buisson de noisetier est constitué de
plusieurs petites tiges non ramifiées à la base.

C'est Jacques Cartier qui a baptisé l'île aux Coudres: «... y a
plusieurs couldres franches, que trouvâsmes fort chargez de
noisilles... et pour ce, la nommasmes l'isles es Couldres».
La baguette de coudrier des sourciers est en fait un rameau de
noisetier en forme de «Y». La noisette commerciale ou aveline
provient de culture, soit d'espèce européenne, *(C. avellana)*,

soit d'une espèce turque, *(C. colurna)*. Les lièvres, les chevreuils, et les orignaux broutent notre noisetier; la perdrix mange les chatons, les oiseaux nichent dans ses branches et les écureuils recherchent les noisettes. Cet arbuste trouvait chez les tribus amérindiennes plusieurs usages médicaux: les Tête-de-Boule utilisaient la tisane des extrémités des rameaux contre les maladies cardiaques; les Abénaquis infusaient l'écorce avec celle du hart rouge (p. 179), et du saule (p. 161) contre les maux d'yeux; les Iroquois enfilaient en collier les fragments de tige pour soulager la douleur de la dentition chez leurs jeunes enfants.

✂ La noisette est bien connue de même que son enveloppe recouverte d'une multitude de petites aiguilles qui s'accrochent à la peau. La meilleure façon de les décortiquer reste celle des Amérindiens: les noix mûres sont placées dans une poche qu'on bat contre une surface dure. À l'île aux Coudres, les noix sont consommées légèrement chauffées au four. De la noix, on tire une farine qui entre dans la préparation d'un pain de noisette.

✍ Le coudrier n'est pas très employé comme remède mais l'écorce a la réputation de combattre la fièvre: faire bouillir ½ c. thé par t., en prendre ½ t. par jour. Les chatons ont un effet sudorifique et soignent ainsi les refroidissements et la grippe: infuser 15 minutes, 1 c. tab. par t. d'eau, en absorber 2-3 t. par jour.

les érables

Bois barré

Acer pensylvanicum Linnaeus
Bois d'orignal ou noir, érable barré ou de pennsylvanie.
Striped maple. *False or striped dogwood, goose-foot-, moose- or northern-maple. moose- or whistle-wood.*

Aceraceae: famille de l'érable; *maple family.*

< *Acer:* nom latin classique de l'érable, dérivé du celte *ac* et faisant allusion à la dureté du bois; *pensylvanicum:* de Pennsylvanie.

♣ Petit arbre d'une dizaine de mètres. Écorce verte à rayures verticales blanches, prenant une teinte rouge en hiver. Feuilles au contour finement denté, divisées en 3 lobes terminés par une longue pointe. Fleurs jaunes (larg. ½ cm) en grappes pendantes, paraissant après les feuilles. Fruits: disamares (long. 3 cm) écartées de plus de 90°.

↴ Espèce associée au bouleau jaune: dans la bétulaie jaune et l'érablière à bouleau jaune; moins fréquente et moins abondante dans l'érablière laurentienne.

⚜ Basses terres du Saint-Laurent, Bas Saint-Laurent et Gaspésie.

≠ La ronce odorante *(Rubus odoratus)* et certaines espèces de viornes ont des feuilles semblables à celles du bois barré ou de l'érable à épis. Cependant, toutes les autres parties de ces plantes diffèrent grandement.

Le nom français «bois barré» décrit les rayures caractéristiques de l'écorce, tandis que «bois d'orignal» vient de ce qu'il sert de nourriture d'hiver à cet animal, tout comme la viorne à feuilles d'aulne. En plus d'avoir des branches comestibles, ces 2 arbustes poussent dans des lieux et à des hauteurs accessibles à l'orignal. *Moose* vient d'un mot algonquin qui signifie mangeur de branches. Ce petit érable pourrait être beaucoup plus employé pour l'ornementation des lieux ombragés. C'est un bon bois de chauffage et son coeur devient brun en vieillissant.

213

Érable à épis

Acer spicatum Lamarck
Érable bâtard, bois fouéreux, plaine bâtarde.
Mountain maple. *Dwarf-, eastern mountain-, low-,*
moose-, swamp-, water- or white-maple.

Aceraceae: famille de l'érable; *maple family.*

< *Acer:* nom latin classique de l'érable dérivé du
celte *ac* et faisant allusion à la dureté du bois; *spicatum:* à
épis, d'après le mode de groupement des fleurs.

♣ Arbuste pouvant atteindre 7-8 mètres. Jeunes
rameaux recouverts de poils leur donnant une apparence
veloutée. Feuilles opposées, à l'aspect plissé et terne, généralement découpées en 3 lobes aigus portant des dents gros-
sières et nombreuses. Fleurs jaune verdâtre rassemblées en
grappes dressées à l'extrémité des rameaux et paraissant après
les feuilles. Fruits: disamares (long. 2 cm) formant un angle
d'environ 90°.

↲ Espèce de l'érablière à bouleau jaune et des
forêts mixtes; également le long des cours d'eau (frênaie à orme),
dans la cédrière tourbeuse, la sapinière, parfois dans l'érablière
laurentienne.

⚜ Le plus nordique de nos érables: se rend
jusqu'au sud de la baie James, du lac Mistassini et de Havre-
Saint-Pierre (basse Côte-Nord).

C'est à l'île aux Coudres que l'érable à épis se nomme bois
fouéreux. Il constitue un élément important du régime alimentaire
du chevreuil et, à un degré moindre de ceux de l'orignal et de la
perdrix. Chez les Amérindiens, on employait les raclures des
racines bouillies pour en couvrir les plaies et les abcès ou pour
soulager les maux d'yeux.

Érable à sucre

Acer saccharum Marshall ou **saccharophorum** K. Koch
Érable franc ou franche
Sugar maple. *Bird's eye-, black-, curly-, hard-, rock-
or sweet- maple, sugar-tree.*

Aceraceae: famille de l'érable; *maple family.*

< *Acer:* nom latin classique de l'érable, dérivé du
celte *ac* et faisant allusion à la dureté du bois; *saccharum:*
sucre; *saccharophorum:* qui porte du sucre.

Arbre pouvant atteindre une trentaine de mètres.
Jeunes rameaux lisses et bruns. Feuilles opposées, découpées
en 3-5 lobes à échancrures arrondies, ne portant que quelques
dents larges. Fleurs jaunes, sans pétales, chacune sur une
queue grêle. Fruits: disamares (long. 3 cm) formant un «U».

Affectionne particulièrement les pentes moyennes
des collines ou des montagnes. On le trouve également dans
la plaine du Saint-Laurent, sur terrain pas trop humide lorsque
l'agriculture, l'urbanisation ou l'exploitation forestière ne l'ont
pas chassé!

Au sud, au moins jusqu'au Témiscamingue, en
Gaspésie et au lac Saint-Jean.

La feuille de l'érable à sucre a été choisie comme emblème du
Canada, mais cette décision fait mentir la devise du pays, «d'un
océan à l'autre», puisque sa distribution est limitée à 5 provinces,
de l'Ontario aux Maritimes en excluant Terre-Neuve. Si l'érable
à sucre est celui qui produit la sève la plus sucrée, les autres
espèces n'en sont pas dépourvues, et même le bouleau à papier
pourrait être entaillé. Le bois de cet arbre est parmi les plus
réputés en ébénisterie parce qu'il est dur, solide et prend un
beau fini. Les planchers et les meubles d'érable font partie des
valeurs domestiques solides et durables qu'on rencontre de moins
en moins souvent.

Les usages de l'érable ne s'arrêtent pas au sirop,
à la tire et au sucre: jadis on fabriquait de la bière d'érable et du
vinaigre avec la sève fermentée; on trouve maintenant sur le
marché une liqueur alcoolique parfumée à l'érable.

Box elder. *Ash-leaved-, cut-leaved-, inland manitoba-, red river- or sugar-maple, black-, maple- or water-ash, indian box-elder.*

Aceraceae: famille de l'érable; *maple family.*

< *Acer:* nom latin classique de l'érable, dérivé du celte *ac* et faisant allusion à la dureté du bois; *negundo:* nom aborigène de signification inconnue.

Arbre pouvant atteindre 20 mètres, au tronc souvent tordu et incliné. Rameaux le plus souvent verts et lisses. Feuilles opposées, composées de 3 à 7 folioles elles-mêmes lobées ou simplement dentées. Fleurs rouges sans pétales, paraissant avant ou avec les feuilles; 2 sortes de fleurs (mâles ou femelles) portées sur des arbres différents. Fruits: samares réunies par 2 (disamares) (long. 4 cm) formant un angle de moins de 60°.

Autour des habitations où il est fréquemment planté. S'échappe facilement des cultures et s'installe le long des fossés et des cours d'eau.

Indigène en bordure des cours d'eau et des lacs dans l'ouest du Canada, il semble bien naturalisé dans le sud du Québec.

≠ Les jeunes pousses de l'érable à giguère, par leurs feuilles souvent composées de 3 folioles, ressemblent à l'herbe à puce *(Rhus radicans).* Cependant l'écorce verte et la feuille d'un vert jaune le distinguent facilement de cette dernière.

Son nom iroquois signifie «érable de l'endroit où il y a du nickel». L'érable négondo est souvent tordu. Les bourgeons qui se développent au bout des branches jusque tard l'automne gèlent facilement; au printemps, ce sont de nouveaux bourgeons qui se forment le long des branches, entraînant la forme irrégulière de l'arbre. Il jouit d'une grande popularité grâce à son exceptionnelle rapidité de croissance. Néanmoins, on en déconseille la plantation autour des habitations parce qu'il est trop envahissant. On utilise le bois dans la fabrication de contenants, d'où l'appellation anglaise de *box-elder.*

Érable rouge

Acer rubrum Linnaeus
Plaine rouge.
Red Maple. *Curled-, scarlet-, soft-, swamp- or water-maple.*

Aceraceae: famille de l'érable; *maple family.*

< *Acer:* nom latin classique de l'érable, dérivé du celte *ac* et faisant allusion à la dureté du bois; *rubrum:* rouge.

☘ Arbre pouvant atteindre 35 mètres, mais habituellement plus petit. Jeunes rameaux lisses et rouges. Feuilles opposées, lisses et cireuses, vertes sur le dessus et blanchâtres en dessous, mais rouges au printemps et à l'automne; divisées en 3-5 lobes à échancrures aiguës et au contour irrégulièrement denté. Fleurs rouges, mâles ou femelles, apparaissant avant les feuilles et groupées en masses distinctes sur le même arbre ou sur des arbres différents. Fruits: disamares (long. 2 cm) à ailes écartées d'environ 60°.

↓ Accompagne souvent l'érable à sucre dans l'érablière à bouleau jaune, mais préfère les lieux plus humides même marécageux, les forêts mixtes ou conifériennes, les rivages et particulièrement les zones de débordement des cours d'eau.

⚜ À peu près la même distribution que l'érable à sucre, mais s'avance un peu plus au nord.

L'érable rouge porte bien son nom au printemps et à l'automne: lors de la floraison, de l'épanouissement des feuilles et de leur flétrissement. La chlorophylle qui colore les plantes en vert n'est pas le seul pigment végétal, mais elle masque pendant l'été les autres couleurs: jaune, orange, rouge, pourpre, brun, qui se trouvent dans les feuilles en quantités variables. La chlorophylle étant la première à disparaître à l'automne, ce sont les autres qui surgissent et colorent si vivement le paysage. La sève de l'érable rouge est 2 fois moins sucrée que celle de l'érable à sucre. Le bois dur et léger est parfois employé comme imitation de l'acajou. Le grain des très vieux arbres est souvent ondulé (d'où le nom anglais *curled maple)* et du plus bel effet une fois poli. L'écorce interne bouillie et additionnée de sulfate de plomb donne de l'encre ou une teinture noire.

Le fruit des érables est comestible; on enlève les ailes des samares, on rôtit ce qui reste et on consomme avec du lait et du beurre. Les jeunes pousses de l'érable se mangent fraîches ou séchées et l'écorce interne des érables rouge, à sucre et argenté, écrasée et réduite en poudre, sert de farine pour le pain.

bibliographie

Abbé, A.A. 1946. *Manuel pratique des plantes médicinales indigènes et exotiques.* Beauchemin, Montréal.

Alcock, R.H. 1971. *Botanical names for english readers.* Grand River Books, Détroit.

Angier, B. 1972. *Feasting free on wild edibles.* Stackpole Books, Harrisburg Pa.

Assiniwi, B. 1972. *Recettes indiennes et survie en forêt.* Léméac, Montréal.

Blouin, J-L., & Grandtner, M. M. 1971. *Étude écologique et cartographique de la végétation du comté de Rivière-du-Loup.* Québec, ministère des Terres et Forêts, Service de la recherche, Mémoire no 6

Britton, N.L., & Brown, A. 1970. *An illustrated flora of the northern United States and Canada.* 3 vol., 2ème ed., Dover Publications Inc., New York, Reprint.

Campbell, C. 1970. *Great Smoky Mountains wildflowers,* 3ème ed., The University of Tennessee Press., Knoxville Tenn.

Clark, G. 1923. *Les mauvaises herbes du Canada.* Canada, ministère fédéral de l'Agriculture.

Cobb, B. 1963. *A field guide to the ferns and their related families of north eastern and central North America . . .,* The Peterson field guide series no 10, Houghton Mifflin Company, Boston.

Codère, P. 1972. *Les secrets du règne végétal.* Éd. Paulines, Sherbrooke.

Coon, N. 1963. *Using plants for healing.* Hearthside Press Inc., New York.

Craighead, J. 1963. *A field guide to Rocky Mountain wildflowers . . .* The Peterson field guide series no 14, The Riverside Press, Cambridge, Mass.

Crowhurst, A. 1972. *The weed cookbook.* Lancer Books, New York.

Dana, W.S. 1963. *How to know the wild flowers.* Dover Publications Inc., New York.

Debuigne, G. 1972. *Dictionnaire des plantes qui guérissent.* Larousse, Paris.

Fernald, M.L. & Kinsey, A.C. 1958. *Edible wild plants of eastern North America,* Rev. by Reed C. Rollins, Harper, New York.

Fernald, M.L. 1950. *Gray's manual of botany,* 8ème éd., American Book Co., New York.

Ferron, M. & Cayouette, R. 1964. *Noms des mauvaises herbes du Québec.* Québec, ministère de l'Agriculture et de la Colonisation, Division de la recherche, publication 288.

Fleury de la Roche, A. 1927. *Les plantes bienfaisantes.* Gauthier et Languereau, Paris.

Gaertner, E.E. 1967. *Harvest without planting.* Pub. by E.E. Gaertner, Pembroke, Ontario.

Gibbons, E. 1966. *Stalking the healthful herbs.* David McKay Co. Inc., New York.

_____ 1962. *Stalking the wild aspargus.* David McKay Co. Inc., New York.

Grandtner, M.M. 1966. *La végétation forestière du Québec méridional.* Les presses de l'université Laval, Québec.

Gleason, H.A. 1967. *Manual of vascular plants of northeastern United States and adjacent Canada.* Van Nostrand Co. Inc., Princeton.

Grieve, M. 1931, 1955, 1967. *A modern herbal,* Hafner Pub. Co. & Dover Publications, Inc., New York.

Grimm, W.C. 1968. *Recognizing wild plants.* Stackpole Books, Harrisburg Pa.

_____ 1966. *The book of trees.* Stackpole Books, Harrisburg Pa.

Guyot, L. 1960. *Les noms des fleurs.* Que sais-je no 866, Presses Universitaires de France, Paris.

Hardin, J.W. & Jay, M.A. 1969. *Human poisoning from native and cultivated plants.* Duke University Press, Durhan N.C.

Harlow, W.M. 1957. *Trees of eastern and central United States and Canada.* Dover Publications Inc., New York.

Harrington, H.D. 1967. *Edible native plants of the Rocky Mountains,* The University of New Mexico Press, Albuquerque N. Mex.

Harris, B.C. 1969. *Eat the weeds.* Barre Publishers, Barre Mass.

Horn, E.L. 1972. *Wild flowers I, the Cascades.* The Touchtone Press, Beaverton.

Hosie, R.C. 1972. *Arbres indigènes du Canada.* Canada, service canadien des forêts, ministère de l'Environnement, Ottawa.

Kieran, J. 1966. *An introduction to nature,* Doubleday & Co. Inc., Harden City N.Y., New York.

Kingsbury, J.M. 1964. *Poisonous plants of the United States and Canada.* Prentice Hall Inc., Englewood Cliffs N.J.

Lehner, E. & J. 1961. *Folklore and symbolism of flowers, plants and trees.* Tudor Publication Co., New York.

Manning, D. 1972. *Some useful wild plants for nourishment and healing.* Talonbooks, Vancouver.

Marie-Victorin, 1964. *Flore laurentienne.* Les presses de l'Université de Montréal, Montréal.

Martin, A.C., H.S. Zim & A.L. Nelson. 1961. *American wildlife and plants, a guide to wildlife food habits.* Dover Publications Inc., New York, Reprint.

Medsger, O.P. 1939, 1966. *Edible wild plants.* Collier Books, New York.

Meyer, J.E. 1932. *The herbalist and herb doctor.* Indiana botanic gardens.

Miller, H.A. 1972. *How to know the trees.* W. Mc Brown Co. Publishers, Dubuque Iowa.

Ministère de l'Agriculture, 1961. *Noms français des maladies des plantes au Canada.* Québec, ministère de l'Agriculture et de la Colonisation, publication 263.

Ministère de l'Énergie des Mines et des Ressources, Canada. 1969. *Atlas et toponymie du Canada.* Direction des levées et de la cartographie, Imprimeur de la Reine, Ottawa.

Mockle, J.A. 1955. *Contribution à l'étude des plantes médicinales du Canada.* Thèse de doctorat, Université de Montréal.

Mohlenbrock, R.H. 1970. *The illustrated flora of Illinois, flowering plants, lilies to orchids.* Southern Illinois University Press, Carbondale and Edwardsville.

Montgomery, F.H. 1969. *Native wild plants of eastern Canada and adjacent northeastern United States.* The Ryerson Press, Toronto.

_____ 1966. *Plants from sea to sea.* The Ryerson Press, Toronto.

_____ 1970. *Trees of Canada and the northern United States.* The Ryerson Press, Toronto.

Narodetzki, A. 1932. *La médecine végétale illustrée, traité illustré de médecine, d'hygiène et de pharmacie.* s.l.

National Audubon Society, 1964-1965. *The Audubon nature encyclopedia,* 20 vol., Curtis Pub. Co.

Palaiseul, J. 1972. *Nos grands-mères savaient . . .* Éditions Robert Laffont, Paris.

Peterson, R. 1968. *A field guide to wildflowers.* Houghton Mifflin, Boston.

Petrides, G.A. 1958. *A field to trees and shrubs,* The Peterson field guide series no 11, The Riverside Press, Cambridge Mass.

Rousseau, C. 1974. *Géographie floristique du Québec Labrador.* Travaux et documents du Centre d'études nordiques no 7, Presses de l'université Laval.

_____ 1968. *Histoire, habitat et distribution de 220 plantes introduites au Québec.* Naturaliste canadien v. 95, no 1, janv. fév. 1968, pp. 49-171 & Ludoviciana no 5, Québec.

Rousseau, J. 1946-1948. *Notes sur l'ethnobotanique d'Anticosti. Éthnobotanique abénakise. Éthnobotanique et ethnozoologie gaspésiennes.* Mémoires du jardin botanique de Montréal, no 2, pp. 15-16, 17-54, 55-68.

_____ & Raymond, M. 1945. *Études ethnobotaniques québécoises.* Contribution de l'Institut botanique de l'Université de Montréal, no 55, Montréal.

Rowe, J.S. 1972. *Les régions forestières du Canada.* Canada, ministère de l'Environnement, Service canadien des forêts, Publication 1300 F.

Secrétariat d'État, 1954. *Notes sur les noms de plantes particuliers au Canada.* Canada. Bureau des traductions, Service de terminologie, Bulletin de terminologie no BT-13.

Sperka, M. 1973. *Growing wildflowers, a gardener's guide.* Harper & Row Publishers, New York.

Stearn, T.W. 1966. *Botanical latin.* Hafner Publishing Co., New York.

Waugh, F.W. 1916. *Iroquois food and food preparation.* Geological Survey of Canada no 86, Ottawa.

Yanovsky, E. 1936. *Food plants of the north american Indians.* U.S.D.A. Miscellaneous publications no 237.

Monotrophe) uniflae (Ericaceæ)

liste des espèces selon l'époque de la floraison

Pour faciliter l'identification sur le terrain des espèces présentées dans ce livre, nous avons réuni celles-ci en trois groupes d'après l'époque de la floraison. Cette méthode permet une identification plus sûre en ajoutant un critère nouveau. Ainsi, si vous avez récolté un trille à fleur blanche en même temps qu'une hépatique, il est plus que probable qu'il s'agisse du trille blanc et non du trille ondulé. De plus, ce guide stimulera votre curiosité dans la recherche d'autres plantes dont la floraison se produit à la même époque.

 floraison au début du printemps

aulne
bois de plomb
cassandre
caulophylle faux-pigamon
chatons
chèvrefeuille du canada
chou puant
claytonie de caroline
dicentre du canada
dicentre à capuchon
érable à giguère
érable à sucre
érable rouge
érythrone d'amérique
fougère de l'autruche
gingembre sauvage

hépatique à lobes aigus
lierre terrestre
noisetier
petites poires
pigamon dioïque
pissenlit
populage des marais
prêle des champs
sanguinaire
trille blanc
trille rouge
tussilage
uvulaire à feuilles sessiles
uvulaire à grandes fleurs
violette
violette du canada

 floraison au milieu du printemps

actée rouge
ancolie du canada
antennaire
bermudienne

bleuet
bois d'orignal
carcajou
fleur de mai

fraisier
gadellier glanduleux
herbe de sainte-barbe
houstonie
myosotis
petit merisier
rhododendron du canada

sabot de la vierge
savoyane
senellier
streptope rose
sureau rouge
trille ondulé
violette

floraison à la fin du printemps

anémone du canada
benoîte des ruisseaux
bois barré
cerisier à grappes
clintonie boréale
érable à épis
hart rouge
iris versicolore
maïanthème du canada
médéole

pimbina
quatre-temps
salsepareille
sceau-de-salomon
smilacine à grappes
smilacine étoilée
sorbier d'amérique
thé du labrador
tiarelle
trientale boréale

index des plantes curatives

malaises, organes atteints, produits, propriétés:

consultez les textes relatifs à:

Accouchement:	voir **organes génitaux.**
Acide salicylique:	voir **aspirine.**
Angoisse:	saule.
Antiaphro- **disiaque:**	saule.
Antiscorbutique:	ancolie, carcajou, herbe de sainte-barbe, sorbier, famille de la moutarde en général.
Antiseptique:	savoyane.
Apéritif:	pissenlit.
Aphrodisiaque:	sanguinaire.
Artériosclérose:	gadellier.
Arthrite:	gadellier, rhododendron.
Aspirine:	saule.
Astringent:	aulne, fraisier, saule, senellier, sorbier, thé du labrador.
Asthme:	chou puant, lierre terrestre, sanguinaire, trille, tussilage.
Bouche:	aulne, savoyane.
Bronches:	cerisier à grappes, chou puant, lierre terrestre, populage des marais, sanguinaire, tussilage, violette.
Calmant:	cerisier à grappes, saule, violette.
Cicatrisant:	érythrone, sceau-de-salomon.
Coeur:	senellier.
Coliques:	voir **gaz abdominaux.**
Constipation:	voir **laxatif** et **purgatif.**
Coqueluche:	chou puant, gingembre sauvage, sanguinaire.
Crampe:	caulophylle faux-pigamon.
Croissance:	gadellier.
Démangeaison:	prêle des champs.
Dents:	savoyane.

Diarrhée:	benoîte des ruisseaux, bleuet, fraisier, hart rouge, lierre terrestre, saule, senellier, sorbier, trille.
Digestion:	hépatique, lierre terrestre, pissenlit, savoyane, thé du labrador.
Diurétique:	ancolie, fleur de mai, fraisier, gingembre sauvage, iris, médéole, pissenlit, prêle des champs, quatre-temps, senellier, sorbier, tiarelle, violette.
Douleur (usage externe):	chou puant.
Dysenterie:	voir **diarrhée**.
Enflure:	érythrone, salsepareille.
Entérite:	bleuet.
Estomac:	gingembre sauvage.
Éternuements:	gingembre sauvage, sanguinaire.
Fièvre:	cassandre, hart rouge, hépatique, noisetier, pissenlit, quatre-temps, saule.
Foie:	hépatique, iris, pissenlit, tiarelle.
Gaz abdominaux:	caulophylle faux-pigamon, petit pêcheur.
Gorge:	aulne, senellier.
Goutte:	fraisier.
Grippe:	noisetier, pissenlit.
Hémorrhagie:	voir **saignement.**
Hoquet:	caulophylle faux-pigamon.
Hypertension:	fraisier.
Infection:	aulne, cassandre, gadellier, salsepareille.
Inflammation:	voir **infection.**
Insomnie:	saule, thé du labrador.
Lactation:	aulne.
Laxatif:	fraisier, violette.
Menstruations:	voir **organes génitaux.**
Migraine:	lierre terrestre.
Narcotique:	chou puant.
Nerfs, nervosité:	chou puant.
Nez:	lierre terrestre, prêle des champs, sanguinaire, thé du labrador, trille.
Organes génitaux:	caulophylle faux-pigamon, sanguinaire, saule, thé du labrador.
Parasites intestinaux:	hart rouge.

Peau:	aulne, petit prêcheur, pissenlit, prêle des champs, salsepareille, sanguinaire, trille, tussilage, violette.
Piqûres de guêpes:	gadellier.
Poitrine (maladies de):	voir **respiration, maladies respiratoires.**
Poudre dentifrice:	iris
Poumon:	trille, violette.
Poux:	thé du labrador.
Purgatif:	actée, bermudienne, bois de plomb, iris, maïanthème, médéole, sanguinaire, streptope rose, violette.
Quinine:	saule
Reins:	iris, prêle des champs.
Refroidissements:	noisetier.
Respiration, maladies respiratoires:	érythrone, gingembre sauvage, populage des marais
Rhumatismes:	caulophylle faux-pigamon, chou puant, fraisier, gadellier, rhododendron, violette.
Rhume:	hépatique, lierre terrestre, quatre-temps thé du labrador, tussilage, violette.
Sang (purifier le):	fraisier, pissenlit.
Saignement:	benoîte des ruisseaux, lierre terrestre, prêle des champs, trille.
Somnifère:	voir **insomnie**
Spasmes:	caulophylle faux-pigamon.
Stimulant:	salsepareille.
Stupéfiant:	thé du labrador.
Sudorifique:	ancolie, gingembre sauvage, noisetier, salsepareille, violette.
Tête (maux de):	lierre terrestre, thé du labrador.
Tonique:	aulne, pissenlit, saule, savoyane, tiarelle.
Toux:	lierre terrestre, thé du labrador, tussilage, violette.
Ulcères, ulcérations:	érythrone, lierre terrestre, trille.
Vers:	voir **parasites intestinaux.**
Vomitif:	actée, gingembre sauvage, salsepareille, sceau-de-salomon, violette.
Yeux:	lierre terrestre.

index des noms et des familles de plantes

Les chiffres en caractères gras indiquent la page où l'espèce est décrite ou illustrée.

feuille

types de feuilles

f. simple

folioles

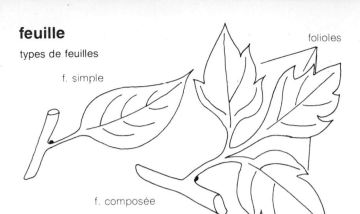

f. composée

découpure

f. lobée

segments

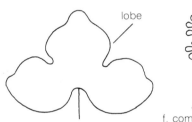

lobe

f. composée segmentée

disposition des feuilles sur la tige

f. alternes

f. opposées

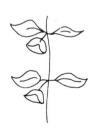

f. en verticilles

fleur

les parties de la fleur

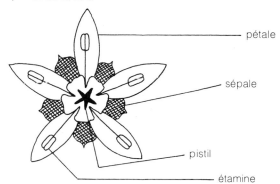

pétale

sépale

pistil

étamine

type d'inflorescence

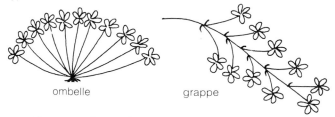

ombelle

grappe

parties souterraines d'une plante

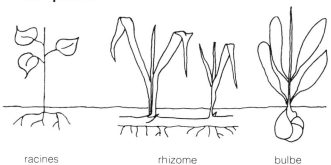

racines

rhizome

bulbe

Ce troisième tirage de la première édition de l'ouvrage
« Plantes sauvages printanières »
a été achevé d'imprimer
le premier décembre mil neuf cent soixante-dix-sept
sur les presses lithographiques de Charrier & Dugal (1965) Ltée
à Québec

En vente chez l'Éditeur officiel

Petite flore forestière du Québec

Dans un format pratique de 4¼ x 7 po., un ouvrage de vulgarisation de 216 pages, illustré de 354 photos couleur. Guide précieux pour l'identification rapide des essences d'arbres les plus courantes et de leurs principales caractéristiques.